Roummain
lecteur?.

- à avoi - cela peut il servi? que
J'ai lu ce livre.

GOUVERNEURS DE LA ROSÉE

JACQUES ROUMAIN

Gouverneurs de la Rosée

Roman

LES EDITEURS FRANÇAIS REUNIS
21, rue de Richelieu, PARIS (1er)

NOTICE BIOGRAPHIQUE

Né à Port-au-Prince le 4 juin 1907, Jacques Roumain commença ses études à l'Institution Saint Louis de Gonzague, puis partit les achever en Suisse (à Berne et à Zurich) où il se familiarisa avec la langue et la culture allemandes qu'il goûta profondément. Il voyagea en Allemagne, séjourna en France et en Angleterre, puis se rendit en Espagne pour des études agronomiques qu'il ne fit qu'aborder: bientôt en effet, soit qu'il se sentît préparé à d'autres missions, soit qu'il eût trouvé suffisante la somme de connaissances et d'expériences que le monde lui avait apportées, il décidait de rentrer dans son pays à peine âgé de vingt ans.

Nous le retrouvons en 1927 à Port-au-Prince où tout de suite il prend rang dans le petit groupe de ceux qui se battaient alors pour l'établissement combien difficile d'une nouvelle forme de pensée et d'art basée sur la connaissance et l'orgueil de nous-mêmes. Fondateur et non des moindres de la REVUE INDIGENE, Jacques Roumain devait y publier des poèmes, des nouvelles, quelques traductions de l'espagnol et de l'allemand. Puis, sollicité par l'action, se lancera dans la mêlée politique contre l'Occupation Amé-

ricaine en vue de la restauration intégrale de
nos droits, avec cette violence et cette âpreté de
style, cette fermeté de caractère, ce perpétuel
dédain du danger qui allaient soulever l'enthousiasme et déterminer l'attachement de la jeunesse, non sans provoquer pour lui de cruelles
épreuves. Emprisonné une première fois en 1929,
puis libéré, il est quelques mois plus tard repris
et condamné à la prison pour délit de presse à
la suite d'un procès sensationnel où son sang
coula en plein prétoire, et qui créa dans tous
les milieux une émotion extraordinaire. Peu
après, cependant, le nationalisme triomphait et
Jacques Roumain, déjà président de la Ligue de
la Jeunesse Patriote Haïtienne qu'il avait fondée,
président d'honneur de la Fédération de la Jeunesse qui fut alors créée, délégué de ce groupe-
ment auprès du Comité Fédératif, délégué du
Comité de ratification des pouvoirs du Président
Provisoire Eugène Roy, fut nommé, à l'accession
de ce dernier à la Première Magistrature de
l'Etat, Chef de Division à vingt-quatre ans au
Département de l'Intérieur. Il l'était encore
quand il publia sa première œuvre : LA PROIE
ET L'OMBRE, mais pour des raisons person-
nelles, démissionnait peu après de ses fonctions
auxquelles cependant le Gouvernement du Président Vincent en reconnaissance de sa valeur
et en prévision des grands services qu'il pouvait
rendre, devait l'appeler quelques mois plus tard.
Menant le combat politique avec l'enthousiasme
de sa nature, Jacques Roumain n'en trouva pas
moins le temps de publier coup sur coup deux
romans : LA MONTAGNE ENSORCELEE et
LES FANTOMES. Mais ses vues politiques et
sociales s'étaient agrandies. Par suite de l'évolu-

tion générale de ses idées, le problème haïtien avait pris dans son esprit un autre sens et se présentait sous un aspect tel que fondamentalement il lui était impossible de continuer sa collaboration au Gouvernement. Il se retira donc une nouvelle fois de l'Administration Publique, se remit à l'action, ce qui lui valut d'être arrêté en 1933, puis, après sa libération sans jugement, d'être repris en 1934, alors qu'il venait de fonder un Parti Communiste Haïtien dont il était le Secrétaire Général et de publier un essai politico-social intitulé : ANALYSE SCHEMATIQUE 32-34. Il fut cette fois-ci jugé par la Cour Militaire et condamné à trois années d'emprisonnement. A sa libération, il partit pour l'Europe, la santé ébranlée.

Jacques Roumain séjourna un an en Belgique, puis se rendit à Paris où il entreprit sérieusement des études scientifiques. Il s'inscrivit à l'Institut d'Ethnologie, en Sorbonne, à l'Institut de Paléonthologie Humaine, entreprit des travaux sous la direction du grand savant Paul Rivet dont il fut l'un des assistants au Musée de l'Homme, et cependant qu'il donnait sa collaboration à différentes revues littéraires et politiques : REGARDS, COMMUNE, LES VOLON-TAIRES, faisait paraître en librairie dans un ouvrage intitulé « L'Homme de Couleur » et auquel nombre d'écrivains des plus connus avaient apporté leur contribution, son instructive étude : Les Griefs de l'Homme Noir. *En 1939, Jacques Roumain qui était devenu entre temps membre de la Société des Américanistes de Paris, fut forcé par les événements de gagner les Etats-Unis où il poursuivit à Columbia University de New-York ses études scientifiques et parallèlement dans des revues importantes, ses activités littéraires. Puis, séjour à la Martinique et à la Havane où il passa près d'un an travaillant, écrivant auprès du grand poète Nicolas Guillen avec qui il avait lié amitié à Paris lors du Congrès des Ecrivains pour la Défense de la Culture. Le changement d'orientation déterminé en 1941 par l'arrivée au pouvoir du Président Lescot lui permit de regagner son pays. Directeur-Fondateur du BUREAU D'ETHNOLOGIE DE LA REPUBLIQUE D'HAITI, professeur d'Archéologie Précolombienne et d'Anthropologie Préhistorique à l'Institut d'Ethnologie, le labeur de Jacques Roumain est immense. Il organise, voyage, fait des recherches, entreprend des fouilles et écrivant d'abondance, publie en 1942 l'étude intitulée : AUTOUR DE LA CAMPAGNE ANTI-SUPERSTITIEUSE, engage à ce sujet dans les colonnes du NOUVELLISTE une retentissante polémique avec le Révérend Père Froisset, fait paraître la même année sa CONTRIBUTION A L'ETUDE DE L'ETHNOBOTANIQUE PRECOLOMBIENNE DES GRANDES ANTILLES qui reçoit l'accueil élogieux des milieux spécialisés tant étrangers qu'haïtiens. En 1943, LE SACRIFICE DU TAMBOUR ASSOTO, étude d'ethnologie religieuse, vient montrer l'ampleur des connaissances et la haute valeur scientifique du jeune auteur qui ne se trouvait déjà plus d'ailleurs à Port-au-Prince. Le Gouvernement de la République, en effet, appréciant les qualités si imparfaitement résumées ici et la haute autorité sans cesse grandissante que Roumain avait su acquérir, avait fait appel à lui depuis quelques mois pour assurer en qualité de Chargé d'affaires sa représentation diplomatique aux*

Etats-Unis du Mexique. C'est à ce poste où il accomplissait sa tâche avec une compétence rare, une parfaite distinction et un zèle de tous les instants, que Jacques Roumain était frappé d'une crise soudaine dont l'issue tout de suite parut fatale. Il s'en remit cependant. Il retrouva le pays, les arbres qu'il aimait, le ciel qu'il avait chanté et cette nuit tropicale qui « arrive comme une femme en deuil ». Ce ne devait pas être malheureusement pour longtemps. Reparti pour son poste, Jacques Roumain n'en devait revenir moins d'un an après que pour mourir le 18 août 1944 dans la pleine maturité de son être et de son talent.

I

— Nous mourrons tous... — et elle plonge sa main dans la poussière : la vieille Délira Délivrance dit : nous mourrons tous : les bêtes, les plantes, les chrétiens vivants, ô Jésus-Maria la Sainte Vierge ; et la poussière coule entre ses doigts. La même poussière que le vent rabat d'une haleine sèche sur le champ dévasté de petit-mil, sur la haute barrière de cactus rongés de vert-de-gris, sur les arbres, ces bayahondes rouillés.

La poussière monte de la grand-route et la vieille Délira est accroupie devant sa case, elle ne lève pas les yeux, elle remue la tête doucement, son madras a glissé de côté et on voit une mèche grise saupoudrée, dirait-on, de cette même poussière qui coule entre ses doigts comme un chapelet de misère : alors elle répète : nous mourrons tous, — et elle appelle le bon Dieu. Mais c'est inutile, parce qu'il y a si tellement beaucoup de pauvres créatures qui hèlent le bon Dieu de tout leur courage que ça fait un grand bruit ennuyant et le bon Dieu l'entend et il crie : Quel est, foutre, tout ce bruit ? Et il se bouche les oreilles. C'est la vérité et l'homme est abandonné.

Bienaimé, son mari, fume sa pipe, la chaise calée contre le tronc d'un calebassier. La fumée ou sa barbe cotonneuse s'envole au vent.

— Oui, dit-il, en vérité, le nègre est une pauvre créature.

Délira semble ne pas l'entendre.

Une bande de corbeaux s'abat sur les chandeliers. Leur croassement enroué racle l'entendement, puis ils se laissent tomber d'une volée, dans le champ calciné, comme des morceaux de charbon dispersés.

Bienaimé appelle : Délira ? Délira, ho ?

Elle ne répond pas.

— Femme, crie-t-il.

Elle lève la tête.

Bienaimé brandit sa pipe comme un point d'interrogation :

— Le Seigneur, c'est le créateur, pas vrai ? Réponds : le Seigneur, c'est le créateur du ciel et de la terre, pas vrai ?

Elle fait : oui ; mais de mauvaise grâce.

— Eh bien, la terre est dans la douleur, la terre est dans la misère, alors, le Seigneur c'est le créateur de la douleur, c'est le créateur de la misère.

Il tire de courtes bouffées triomphantes et lance un long jet sifflant de salive.

Délira lui jette un regard plein de colère :

— Ne me tourmente pas, maudit. Est-ce que j'ai pas assez de tracas comme ça ? La misère, je la connais, moi-même. Tout mon corps me fait mal, tout mon corps accouche la misère, moi-même. J'ai pas besoin qu'on me baille la malédiction du ciel et de l'enfer.

Puis, avec une grande tristesse et ses yeux sont pleins de larmes, elle dit doucement :

— O Bienaimé, nègre a moué...

Bienaimé tousse rudement. Il voudrait peut-être dire quelque chose. Le malheur bouleverse comme la bile, ça remonte à la bouche et alors les paroles sont amères.

Délira se lève avec peine. C'est comme si elle faisait un effort pour rajuster son corps. Toutes les tribulations de l'existence ont froissé son visage noir, comme un livre ouvert à la page de la misère. Mais ses yeux ont une lumière de source et c'est pourquoi Bienaimé détourne son regard.

Elle a fait quelques pas et elle est entrée dans la maison.

Au delà des bayahondes une vapeur s'élève, où se perd, dans un dessin brouillé, la ligne à moitié effacée des mornes lointains. Le ciel n'a pas une fissure. Ce n'est qu'une plaque de tôle brûlante.

Derrière la maison, la colline arrondie est semblable à une tête de négresse aux cheveux en grains de poivre : de maigres broussailles en touffes espacées, à ras du sol ; plus loin, comme une sombre épaule contre le ciel, un autre morne se dresse parcouru de ravinements étincelants ; les érosions ont mis à nu de longues coulées de roches : elles ont saigné la terre jusqu'à l'os.

Pour sûr qu'ils avaient eu tort de déboiser. Du vivant encore de défunt Josaphat Jean-Joseph, le père de Bienaimé, les arbres poussaient dru là-haut. Ils avaient incendié le bois pour faire des jardins de vivres : planté les pois-congo sur le plateau, le maïs à flanc de coteau.

Travaillé durement en nègres conséquents, en travailleurs de la terre qui savent qu'ils ne pourront porter un morceau à la bouche s'ils ne l'ont extrait du sol par un labeur viril. Et la terre avait répondu : c'est comme une femme qui d'abord se débat, mais la force de l'homme, c'est la justice, alors, elle dit : prends ton plaisir...

A l'époque, on vivait tous en bonne harmonie, unis comme les doigts de la main et le coumbite (1) réunissait le voisinage pour la récolte ou le défrichage.

Bienaimé se lève, il marche à pas indécis vers le champ. Une herbe sèche comme de l'étoupe a envahi le canal. Il y a longtemps que les hautes tiges de roseaux se sont affaissées, mêlées à la terre. Le fond du canal est craquelé comme une vieille faïence, verdi de matières végétales pourries. Avant, l'eau y courait libre, au soleil : son bruissement et sa lumière faisaient un doux rire de couteaux. Le petit-mil poussait serré, dissimulant la case à la vue de la grand-route.

« Ah ces coumbites », songe Bienaimé... Dès le petit jour, il était là, en chef d'escouade sérieux, avec ses hommes, tous habitants de grand courage : Dufontaine, Beauséjour, cousin Aristhène, Pierrilis, Dieudonné, beau-frère Mérilien, Fortuné Jean, compère Boirond, le Simidor Antoine : un nègre habile a chanter, capable de remuer avec sa langue plus de malices que dix commères ensemble, mais c'était sans méchanceté, rien que pour l'amusement, parole d'honneur.

On entrait dans l'herbe de Guinée ! (Les pieds nus dans la rosée, le ciel pâli, la fraîcheur, le carillon des pintades sauvages au loin...). Peu à peu les arbres noircis, leur feuillage encore

(1) Travail agricole collectif.

chargé de lambeaux d'ombre, reprenaient leur couleur. Une huile de lumière les baignait. Un madras de nuages soufrés ceignait le sommet des mornes élevés. Le pays émergeait du sommeil. Dans la cour de Rosanna, le tamarinier lançait soudain, comme une poignée de graviers, un tourbillonnement criard de corneilles.

Casamajor Beaubrun, sa femme Rosanna et leurs deux garçons les saluaient. Ils disaient : frères, merci oui ; question de politesse parce qu'un service, ça se prête de bon vouloir : aujourd'hui, je travaille ton champ, toi, demain, le mien. L'entr'aide, c'est l'amitié des malheureux, n'est-ce pas ?

Un moment après, arrivaient de leur côté, Siméon et Dorisca, avec une vingtaine de nègres gaillards.

On laissait Rosanna s'affairer dans l'ombrage du tamarinier autour de ses chaudières et des grands récipients de fer-blanc d'où montait déjà le bredouillement volubile de l'eau qui bout. Délira et d'autres voisines viendraient plus tard lui donner un coup de main.

Les hommes s'en allaient la houe sur l'épaule. Le jardin à nettoyer était au tournant du sentier, protégé par un entourage de bambous entrecroisés. Des lianes aux fleurs mauves et blanches s'y accrochaient en buissons désordonnés ; dans les coques dorées des assorossis s'épanouissait une pulpe rouge comme un velours de muqueuses.

Ils écartaient les lattes mobiles de la barrière. A l'entrée du jardin, le crâne d'un bœuf blanchissait sur un poteau. Maintenant ils mesuraient leur tâche du regard : ce « carreau » d'herbes folles embrouillé de plantes rampantes.

Mais c'était de la bonne terre ; ils la rendraient aussi nette que le dessus d'une table fraîchement rabotée. Beaubrun, cette année, voulait y essayer des aubergines.

— Alignez ! criaient les chefs d'escouade.

Le Simidor Antoine passait en travers de ses épaules la bandoulière du tambour. Bienaimé prenait sa place de commandement devant la rangée de ses hommes. Le Simidor préludait par un bref battement, puis le rythme crépitait sous ses doigts. D'un élan unanime, ils levaient les houes haut en l'air. Un éclair de lumière en frappait le fer : ils brandissaient, une seconde, un arc de soleil.

La voix du Simidor montait rauque et forte :

— *A tè...*

D'un seul coup les houes s'abattaient avec un choc sourd, attaquant le pelage malsain de la terre.

— *Femme-la dit, mouché, pinga*
    ou touché mouin, pinga-eh (1).

Les hommes avançaient en ligne. Ils sentaient dans leurs bras le chant d'Antoine, les pulsations précipitées du tambour comme un sang plus ardent.

Et le soleil soudain était là. Il moussait comme une écume de rosée sur le champ d'herbes. Honneur et respect, maître soleil, soleil levant. Plus caressant et chaud qu'un duvet de poussin sur le dos rond du morne, tout bleu, un instant encore, dans la froidure de l'avant-jour. Ces hommes noirs te saluent d'un balancement de houes qui arrache du ciel

_____

(1) « La femme dit : Monsieur, prenez garde — à ne pas me toucher, prenez garde. »

de vives échardes de lumière. Et le feuillage
déchiqueté des arbres à pain, rapiécé d'azur, et
le feu du flamboyant longtemps couvé sous la
cendre de la nuit et qui, maintenant, éclate en
un boucan de pétales à la lisière des bayahondes.

Le chant obstiné des coqs alternait d'un jardin
à l'autre.

La ligne mouvante des habitants reprenait le
nouveau refrain en une seule masse de voix :

> *A tè*
> *M'ap mandé qui moune*
> *Qui en de dans caïlle là*
> *Compè répond :*
> *C'est mouin avec cousine mouin*
> *Assez-é* (1)

Brandissant les houes longuement emman-
chées, couronnées d'éclairs, et les laissant retom-
ber avec une violence précise :

> *Mouin en dedans dèjà*
> *En l'ai-oh !*
> *Nan point taureau*
> *Passé taureau*
> *En l'ai, oh* (2)

Une circulation rythmique s'établissait entre
le cœur battant du tambour et les mouvements
des hommes : le rythme était comme un flux
puissant qui les pénétrait jusqu'au profond de

---

(1) « A terre — Je demande — Qui est dans la case — Le
compère répond : — C'est moi avec ma cousine — Assez,
eh ! »
(2) « Je suis déjà là-dedans — En l'air, oh — Il n'y a pas
plus taureau — Que le taureau — En l'air, oh ! »

leurs artères et nourrissait leurs muscles d'une vigueur renouvelée.

Le chant emplissait le matin inondé de soleil. Le vent l'emporterait au-delà des collines vers le plateau de Bellevue, et commère Francilla (elle est devant sa case, sous la tonnelle de vigne sauvage, au milieu du battement d'ailes et du piaillement de la volaille à qui elle lance des grains de maïs) je dis : que ma commère Francilla se tournerait vers la rumeur de la plaine :
— oui, qu'elle ferait, c'est la bonne saison — et elle lèverait la tête pour voir le ciel, sans une écaillure de nuages, montrer, comme un bol de porcelaine renversé, qu'il ne contenait pas une goutte de pluie.

Le chant prendrait le chemin des roseaux, le long du canal, il remonterait jusqu'à la source tapie au creux d'aisselle du morne, dans la lourde senteur des fougères et des malangas macérés dans l'ombrage et le suintement secret de l'eau.

Peut-être qu'une jeune négresse du voisinage : Irézile, Thérèse, Georgina... finit de remplir ses calebasses. Quand elle sort du courant, des bracelets de fraîcheur se défont autour de ses jambes. Elle dépose les calebasses dans un panier d'osier qu'elle équilibre sur sa tête. Elle marche dans le sentier humide. Au loin, le tambour délivre une ruche de sons bourdonnants.

« J'irai plus tard, se dit-elle. Un tel sera là ». (C'est son amoureux.)

Une chaleur l'envahit, une langueur heureuse. Elle se presse à longues enjambées, les bras balancés. Ses hanches roulent avec une merveilleuse douceur. Elle sourit.

Au-dessus des bayahondes flottent des haillons

de fumée. Dans les clairières, les charbonniers déblaient les terres sous lesquelles le bois vert a brûlé à feu patient.

Un arbre, c'est fait pour vivre en paix dans la couleur du jour et l'amitié du soleil, du vent, de la pluie. Ses racines s'enfoncent dans la fermentation grasse de la terre, aspirant les sucs élémentaires, les jus fortifiants. Il semble toujours perdu dans un grand rêve tranquille. L'obscure montée de la sève le fait gémir dans les chaudes après-midi. C'est un être vivant qui connaît la course des nuages et pressent les orages, parce qu'il est plein de nids d'oiseaux.

Estinval essuie du revers de la main ses yeux rougis. De l'arbre mutilé, il ne reste que le squelette calciné des branchages épars dans la cendre : une charge de charbon que sa femme ira vendre au bourg de la Croix-des-Bouquets.

Dommage qu'il ne puisse répondre à l'invitation du chant. La fumée lui a desséché la gorge. Sa bouche est amère comme s'il avait ruminé une pâte de papier. Pour certain, que ça lui ferait du bien, une boisson à la cannelle, — non : à l'anis, c'est plus rafraîchissant, une longue goulée d'alcool jusqu'au fin fond de l'estomac.

— Rosanna, chère..., il dirait.

Elle connaît sa faiblesse et en riant lui offrirait la mesure de trois doigts en éventail.

Il crache épais et se remet à fourgonner le tas de terre mêlée de cendre.

*
* *

Vers les onze heures, le message du coumbite s'affaiblissait : ce n'était plus le bloc massif des voix soutenant l'effort des hommes ; le chant hésitait, s'élevait sans force, les ailes rognées. Il reprenait parfois, troué de silence, avec une vigueur décroissante. Le tambour bégayait encore un peu, mais il n'avait plus rien de son appel jovial, quand à l'aube, le Simidor le martelait avec une savante autorité.

Ce n'était pas seulement le besoin de repos : la houe devenant de plus en plus lourde à manier, le joug de la fatigue sur la nuque raide, l'échauffement du soleil ; c'est que le travail finissait. Pourtant on s'était à peine arrêté, le temps d'avaler une gorgée de tafia, de se détendre les reins — dans le corps c'est ce qu'il y a de plus récalcitrant, les reins. Mais ces habitants des mornes et des plaines, les bourgeois de la ville ont beau les appeler par dérision nègres pieds-à-terre, nègres va-nu-pieds, nègres-orteils (trop pauvres qu'ils étaient pour s'acheter des souliers), tant pis et la merde pour eux, parce que, question de courage au travail, nous sommes sans reproche ; et soyez comptés, nos grands pieds de travailleurs de la terre, on vous les foutra un jour dans le cul, salauds.

Ils avaient accompli une rude besogne. Gratté, raclé, nettoyé la face hirsute du champ ; la mauvaise broussaille jonchait le sol. Beaubrun et ses garçons la rassembleraient pour y mettre le feu. Ce qui avait été herbe inutile, piquants, halliers, enchevêtrés de lianes courantes, retomberait en cendres fertilisantes, dans la terre

remuée. Il avait son plein contentement, Beaubrun.

— Merci, voisins, qu'il répétait, Beaubrun.

— A votre service, voisin, nous répondions
nous autres. Mais, à la hâte : on n'avait plus de
temps pour les politesses. Le manger attendait.
Et quel manger, quelle mangeaille. Rosanna
n'était pas une négresse chiche, c'était justice de
le reconnaître. Tous ceux qui, par dépit, avaient
dit des méchancetés sur son compte : parce que
c'était une femme tout de bon qu'il ne fallait
pas essayer de dérespecter, une bougresse avec
qui on ne pouvait pas bêtiser, faisaient leur mea
culpa. C'est que, dès le détour du chemin, une
odeur venait à leur rencontre, les saluait positivement, les enveloppait, les pénétrait, leur
ouvrait dans l'estomac le creux agréable du
grand goût.

Et le Simidor Antoine qui, pas plus tard que
l'avant-veille, avait reçu de Rosanna, lorsqu'il
lui avait lancé une plaisanterie canaille, des
détails d'une précision étonnante sur les débor-
dements de sa propre mère, humant, à larges
narines, la fumée des viandes, soupira avec une
conviction solennelle :

— Beaubrun, mon cher, votre madame est
une bénédiction...

Dans les chaudrons, les casseroles, les écuelles,
s'empilaient le grilleau de cochon pimenté à
l'emporte-bouche, le maïs moulu à la morue et
si tu voulais du riz, il y en avait aussi : du riz-
soleil avec des pois rouges étoffés de petit salé.
Et des bananes, des patates, des ignames en
gaspillage.

*
* *

Bienaimé fait quelques pas et il est au bord
de la grand-route. Il s'appuie contre les lattes
entrecroisées de la barrière. De l'autre côté, c'est
le même découragement : la poussière s'élève,
tournoie en tourbillons épais et s'abat sur les
chandeliers, l'herbe mauvaise et espacée, rongée
à ras du sol, comme une pelade.

Autrefois en cette saison dès le matin, le ciel
se mettait à la grisaille, les nuages s'assem-
blaient, gonflés de pluie, pas une grosse pluie,
non, tout juste, quand les nuages crevaient
comme des sacs trop pleins, une petite farinade,
mais persistante, avec quelques éclaircies de
soleil. Elle ne suffisait pas à gorger la terre,
mais elle la rafraîchissait, la préparait pour les
grandes ondées, elle lustrait les jeunes pousses
du maïs et du petit-mil : le vent et la lumière
aidant. Les branches du campêcher décochaient
à tout instant une volée d'ortolans, et à l'Angélus les pintades sauvages venaient boire fri-
leusement le long des flaques à la lisière du
chemin, et si on les effarouchait, s'envolaient
lourdement tout engourdies et engluées de
pluie.

Puis le temps commençait à changer : vers
midi, une chaleur grasse enveloppait les champs
et les arbres accablés ; une fine vapeur dansait
et vibrait comme un essaim dans le silence que
seul troublait le stridulement acide des criquets.

Le ciel se décomposait en boursouflures livides
qui fonçaient vers le plus tard et se mouvaient
pesamment au-dessus des mornes, parcourues
d'éclairs et de grondements sourdement réper-

cutés. Le soleil ne paraissait dans les rares décousures des nuages que comme un rayonnement lointain, d'une pâleur plombée et qui blessait le regard.

Au fond de l'horizon montait tout à coup une rumeur confuse et grossissante, un souffle énorme et rageur. Les habitants attardés aux champs pressaient le pas, la houe sur l'épaule ; les arbres ployaient soudain ; un rideau de pluie accourait, violemment agité dans l'aboiement ininterrompu de l'orage. La pluie était déjà là : d'abord quelques gouttes chaudes et précipitées, puis, percé d'éclairs, le ciel noir s'ouvrait pour l'averse, l'avalanche, l'avalasse torrentielle.

Bienaimé, sur l'étroite galerie fermée par une balustrade ajourée et protégée par l'avancée du toit de chaume, contemplait sa terre, sa bonne terre, ses plantes ruisselantes, ses arbres balancés dans le chant de la pluie et du vent. La récolte serait bonne. Il avait peiné au soleil à longueur de journées. Cette pluie, c'était sa récompense. Il la regardait, avec amitié, tomber en filets serrés, il l'écoutait clapoter sur sa dalle de pierre devant la tonnelle. Tant et tant de maïs, tant de pois-Congo, le cochon engraissé : cela ferait une nouvelle vareuse, une chemise et peut-être le poulain bai de voisin Jean-Jacques s'il voulait rabattre sur le prix.

Il avait oublié Délira.

— Chauffez le café, ma femme, dit-il.

Oui, il lui achèterait aussi une robe et un madras.

Il bourra sa courte pipe d'argile. Voilà ce que c'était de vivre en bon ménage avec la terre.

Mais tout ça c'était le passé. Il n'en restait

qu'un goût amer. On était déjà mort dans cette poussière, cette cendre tiède qui recouvrait ce qui autrefois avait été la vie, oh ! pas une vie facile, pour ça non, mais on avait bon courage et après s'être gourmé avec la terre, après qu'on l'avait ouverte, tournée et retournée, mouillée de sueur, ensemencée comme une femelle, venait la satisfaction : les plantes et les fruits et tous les épis.

Il avait pensé à Jean-Jacques, et le voici qui vient par le sentier, aussi vieux maintenant et aussi inutile que lui, conduisant une maigre bourrique et laissant traîner la corde dans la poussière.

— Frère, salue-t-il.

Et l'autre répond de même.

Jean-Jacques demande des nouvelles de sa commère Délira.

Bienaimé dit : « Comment va ma commère Lucia ? »

Et ils se donnent le merci.

La bourrique a une grande plaie sur le dos et qui frémit sous les piqûres des mouches.

— Adieu, oui, dit Jean-Jacques.

— Adieu, mon nègre, fait Bienaimé.

Et il regarde son voisin s'en aller avec son âne vers l'abreuvoir, cette mare stagnante, cet œil de boue couvert d'une taie verdâtre où tous boivent, hommes et bêtes.

*.
* *

Il y a si longtemps qu'il est parti, il doit être mort maintenant, songe-t-elle. La vieille Délira pense à son garçon. Manuel qu'il s'appelle, parti il y a des années couper la canne à sucre à Cuba. Il doit être mort maintenant, en pays étranger,

répète-t-elle. Il lui avait dit une dernière fois :
maman... Elle l'avait embrassé. Elle avait tenu
dans ses bras ce grand gaillard qui avait été à
elle dans le profond de sa chair et de son sang,
qui était sorti d'elle, de sa chair et de son sang,
et qui était devenu cet homme à qui elle murmurait à travers ses larmes : « Allez, mon petit,
la Vierge Altagrâce vous protège » ; et il avait
tourné au coude de la route et il avait disparu,
ô fils de mon ventre, douleur de mon ventre,
joie de ma vie, chagrin de ma vie, mon garçon,
mon seul garçon.

Elle s'arrête de moudre le café, accroupie sur
le sol. Elle n'a plus une larme, mais il lui semble
que son cœur s'est raccorni dans sa poitrine et
qu'elle s'est vidée de toute vie sauf de ce tourment inguérissable qui lui noue la gorge.

Il devait rentrer après la *Zafra*, ainsi que ces
Espagnols appellent la récolte. Mais il n'était
pas revenu. Elle l'avait attendu, mais il n'était
pas arrivé.

Parfois il lui arrivait de dire à Bienaimé :
— Je me demande de quel côté est Manuel.

Bienaimé ne répondait pas. Il laissait s'étein-
dre sa pipe. Il s'en allait à travers champs.

Elle lui disait encore plus tard :
— Bienaimé, papa, de quel côté est notre
garçon ?

Il lui répondait rudement :
— Paix à ta bouche.

Mais elle avait pitié de ses mains qui trem-
blaient.

Elle vida le tiroir du moulin, versa d'autres
grains, reprit la manivelle. Ce n'était pas une
grosse besogne, mais elle se sentait épuisée, à
la limite de rester là, sans mouvements, son

vieux corps usé abandonné à la mort qui la confondrait, enfin, avec cette poussière, dans une nuit éternelle et sans mémoire.

Elle se mit à chantonner. C'était comme un gémissement, une plainte de l'âme, un reproche infini à tous les saints et à ces divinités sourdes et aveugles d'Afrique qui ne l'avaient pas entendue, qui s'étaient détournés de sa douleur et ses tribulations.

O Sainte Vierge, au nom des saints de la terre, au nom des saints de la lune, au nom des saints des étoiles, au nom des saints du vent, au nom des saints des tempêtes, protège, je t'en prie, s'il te plaît, mon garçon en pays étranger, ô Maître des Carrefours, ouvre-lui un chemin sans dangers. Amen.

Elle n'avait pas entendu revenir Bienaimé.

Il s'assit près d'elle. Dans le dos du morne, on voyait un rougeoiement trouble. Mais le soleil était absent, il chavirait déjà derrière le bois. Bientôt la nuit serait là, enveloppant de silence cette terre amère, noyant dans l'ombre apaisée du sommeil ces hommes livrés au malheur, et puis l'aube se lèverait avec le chant enroué des coqs, le jour recommencerait, semblable à l'autre et sans espoir.

II

Il dit au chauffeur du camion : « Arrêtez ».

Le chauffeur le regarda, étonné, mais ralentit. Pas une case en vue : on était en plein mitan de la grand-route. Il n'y avait qu'une plaine de bayahondes, de gommiers et de halliers parsemés de cactus. La ligne des montagnes courait à l'est, pas très haute, et d'un gris violacé qui dans le lointain déteignait et se confondait avec le ciel.

Le chauffeur mit les freins. L'étranger descendit, tira à lui un sac qu'il jeta sur son épaule. Il était grand, noir, vêtu d'une veste haut boutonnée et d'un pantalon de rude étoffe bleue pris dans des guêtres de cuir. Une longue machette engainée pendait à son côté. Il toucha le large bord de son chapeau de paille et le camion démarra.

Du regard, l'homme donna encore une fois le bonjour à ce paysage retrouvé : bien sûr qu'il avait reconnu sous le massif de genevriers le sentier à peine visible entre cet amas de roches d'où fusait la tige des agaves empanachée d'une grappe de fleurs jaunes.

Il respira la senteur des genevriers exaltée par la chaleur ; son souvenir de l'endroit était fait de cette odeur poivrée.

Le sac était lourd, mais il n'en sentait pas le poids. Il assura la courroie qui le retenait à son épaule et s'engagea à travers bois.

Si l'on est d'un pays, si l'on y est né, comme qui dirait : natif-natal, eh bien, on l'a dans les yeux, la peau, les mains, avec la chevelure de ses arbres, la chair de sa terre, les os de ses pierres, le sang de ses rivières, son ciel, sa saveur, ses hommes et ses femmes : c'est une présence, dans le cœur, ineffaçable, comme une fille qu'on aime : on connaît la source de son regard, le fruit de sa bouche, les collines de ses seins, ses mains qui se défendent et se rendent, ses genoux sans mystères, sa force et sa faiblesse, sa voix et son silence.

— Ho ! fit-il. (Un chat sauvage traversa le sentier d'un bond, crocheta brusquement et disparut dans un bruit de feuillage bouleversé.)

Non, il n'avait rien oublié et maintenant une autre odeur familière venait à sa rencontre : le relent de fumée refroidie du charbon de bois, quand, de la meule, il ne reste dans la clairière qu'un amas de terre dispersé en rond.

Une barranque étroite et peu profonde s'ouvrait devant lui. Elle était à sec, et des touffes d'herbes, toutes sortes de piquants, envahissaient son lit.

L'homme leva la tête vers ce morceau de ciel embué de vapeur chaude, tira un foulard rouge, s'épongea le visage et sembla réfléchir.

Il descendit le sentier, écarta quelques galets, gratta le sable brûlant. Des racines mortes s'effritèrent entre ses doigts lorsque, sur les bords du vrain, il consulta la terre grenue, sans consistance et qui coulait comme de la poudre.

— *Carajo*, fit-il.

Il remonta lentement l'autre versant, le visage
inquiet, mais pas pour longtemps. Il avait trop
de contentement aujourd'hui. L'eau, ça change
parfois de cours, comme un chien de maître.
Qui sait où elle coulait à l'heure qu'il est, la
vagabonde.

Il prit le chemin d'une butte couronnée de
lataniers. Leurs éventails froissés pendaient
inertes ; il n'y avait pas un souffle pour les
ouvrir, les délivrer, dans un jeu échevelé de
lumière luisante. Pour l'étranger, cela faisait un
détour, mais il voulait, de là-haut, embrasser
le pays, la plaine étalée, et dans les éclaircies
des arbres, les toits de chaume, les taches irré-
gulières des champs et des jardins.

Sa face se durcit, plaquée de sueur. Ce qu'il
voyait, c'était une étendue torréfiée, d'une sale
couleur rouillée, nulle part, la fraîcheur verte
qu'il espérait, et çà et là, la moisissure éparse
des cases.

Il contempla, surplombant le village, le morne
décharné, ravagé de larges coulées blanchâtres,
là où l'érosion avait mis ses flancs à nu jusqu'aux
roches. Il essayait de se rappeler les chênes
élevés et la vie agitée, dans leurs branches, de
ramiers friands de baies noires, les acajous
baignés d'une obscure lumière, les pois-congo
dont les cosses sèches bruissaient au vent, les
tertres allongés des jardins de patates : tout ça
le soleil l'avait léché, effacé d'un coup de langue
de feu.

Il se sentit abattu et comme trahi. Le soleil
pesait à son épaule ainsi qu'un fardeau. Il descendit la pente, rejoignit le sentier élargi. Il
entrait dans une savane où errait entre des
buissons épineux et à la recherche d'une herbe

rare, un bétail amaigri. Sur les hauts cactus perchaient des volées de corbeaux qui, à son approche, s'enfuyaient dans un noir remous, avec des croassements interminables.

C'est là qu'il la rencontra. Elle avait une robe bleue rétrécie à la taille par un foulard. Les ailes nouées d'un mouchoir blanc qui lui serrait les cheveux, couvraient sa nuque. Portant sur sa tête un panier d'osier, elle marchait vite, ses hanches robustes se mouvant dans la mesure de sa longue foulée.

Au bruit de ses pas, elle se retourna, sans s'arrêter, laissant voir son visage de profil et elle répondit à son salut par un « Bonjour M'sieur » timide et un peu inquiet.

Il lui demanda, comme s'il l'avait vue d'hier, — car il avait perdu les usages, — comment elle allait.

— A la grâce de Dieu, oui, fit-elle.

Il lui dit :

— Je suis des gens d'ici : de Fonds-Rouge. Il y a longtemps que j'ai quitté le pays ; attends : à Pâques, ça fera quinze ans. J'étais à Cuba.

— Comme ça... fit-elle faiblement. Elle n'était pas rassurée par la présence de cet étranger.

— Quand je suis parti, il n'y avait pas cette sécheresse-là. L'eau courait dans la ravine, pas en quantité pour dire vrai, mais toujours de quoi pour le besoin, et même parfois, si la pluie tombait dans les mornes, assez pour un petit débordement.

Il regarda autour de lui.

— *Parece* une véritable malédiction, à l'heure qu'il est.

Elle ne répondit rien. Elle avait ralenti pour le laisser passer, mais il lui laissa le sentier et marchait à ses côtés.

Elle coula vers lui, de biais, un coup d'œil furtif.

« C'est trop de hardiesse », pensait-elle ; mais elle n'osait rien dire.

Comme il allait sans prendre garde à ses pas, il buta contre une grosse roche qui affleurait et se rattrapa en quelques petits bonds assez ridicules.

— Ago ! dit-elle, éclatant de rire.

Il vit alors qu'elle avait de belles dents blanches, des yeux bien francs et la peau noire très fine. C'était une grande et forte négresse, et il lui sourit.

— Est-ce que aujourd'hui, c'est jour de marché ? demanda-t-il.

— Oui, à la Croix-des-Bouquets.

— C'est un grand marché. De mon temps, les habitants sortaient de tout partout pour aller le vendredi dans ce bourg-là.

— Tu parles du temps longtemps, comme si tu étais déjà un homme d'âge.

Elle s'effraya aussitôt de son audace.

Il dit, plissant les paupières, comme s'il voyait se dérouler devant lui un long chemin :

— Ce n'est pas si tellement le temps qui fait l'âge, c'est les tribulations de l'existence : quinze ans que j'ai passés à Cuba, quinze ans à tomber la canne, tous les jours, oui, tous les jours, du lever du soleil à la brune du soir. Au commencement on a les os du dos tordus comme un torchon. Mais il y a quelque chose qui te fait *aguantar*, qui te permet de supporter. Tu sais ce que c'est, dis-moi : tu sais ce que c'est ?

Il parlait les poings fermés :

— La rage. La rage te fait serrer les mâchoires

et boucler ta ceinture plus près de la peau de
ton ventre quand tu as faim. La rage, c'est une
grande force. Lorsque nous avons fait la
huelga (1) chaque homme s'est aligné, chargé
comme un fusil jusqu'à la gueule avec sa rage.
La rage, c'était son droit et sa justice. On ne
peut rien contre ça.

Elle comprenait mal ce qu'il disait, mais elle
était tout attentive à cette voix sombre qui
scandait les phrases y mêlant de temps à autre
l'éclat d'un mot étranger.

Elle soupira :

— Jésus Marie la Sainte Vierge, pour nous
autres malheureux la vie est un passage sans
miséricorde dans la misère. Oui, frère, c'est
comme ça : il n'y a pas de consolation.

— En vérité, il y a une consolation, je vais te
dire : c'est la terre, ton morceau de terre fait
pour le courage de tes bras, avec tes arbres
fruitiers à l'entour, tes bêtes dans le pâturage,
toutes tes nécessités à portée de la main et ta
liberté qui n'a pas une autre limite que la saison
bonne ou mauvaise, la pluie ou la sécheresse.

— Tu dis vrai, fit-elle, mais la terre ne donne
plus rien et quand par chance tu lui as arraché
quelques patates, quelques grains de petit-mil,
les denrées ne font pas de prix au marché.
Alors, la vie est une pénitence, voilà ce qu'elle
est, la vie, au jour d'aujourd'hui.

Ils longeaient maintenant les premières clôtures de chandeliers. Dans l'espace dégagé des
bayahondes étaient tapies les cases misérables.
Leur chaume fripé couvrait un mince clissage
plâtré de boue et de chaux craquelée. Devant

(1) Esp. : la grève.

l'une d'elles, une femme broyait des grains au mortier, à l'aide d'un long pilon de bois. Elle s'arrêta, le geste suspendu, pour les regarder passer.

— Commère Saintélia, bonjour, oui, cria-t-elle de la route.

— Hé, bonjour, belle-sœur Annaïse, comment va tout ton monde, ma belle négresse ?

— Tout le monde est bien, ma commère. Et toi-même ?

— Pas plus mal, non, sauf mon homme qui est couché avec la fièvre. Mais ça va passer.

— Oui, ça va passer, chère, avec l'aide du Bondieu.

Ils marchèrent un moment.

— Alors, dit-il, ton nom c'est Annaïse.

— Oui, Annaïse, c'est mon nom.

— Moi-même, on m'appelle Manuel.

Ils croisaient d'autres habitants avec qui elle échangeait de longues salutations, et parfois elle s'arrêtait pour prendre et donner des nouvelles, car c'est en pays d'Haïti coutume de bon voisinage.

Enfin, elle arriva devant une barrière. On voyait la case au fond de la cour dans l'ombrage des campêchers.

— C'est icitte que je reste.

— Moi-même, je ne vais pas loin non plus. Je te dis merci pour la connaissance. Est-ce que nous nous reverrons encore ?

Elle détourna la tête en souriant.

— Parce que j'habite comme qui dirait porte pour porte avec toi.

— En vérité ! Et de quel côté ?

— Là-bas dans le tournant du chemin. Pour certain que tu connais Bienaimé et Délira : je suis leur garçon.

Elle arracha presque sa main de la sienne, le visage bouleversé par une sorte de colère douloureuse.

— *Hé, qué pasa ?* s'écria-t-il (1).

Mais déjà elle traversait la barrière et s'en allait rapidement sans se retourner.

Il resta quelques secondes cloué sur place. « Une fille drôle, compère, se dit-il, secouant la tête ; un moment elle te sourit d'amitié et puis dans le temps d'un battement d'yeux, elle te quitte sans même un : au revoir. Ce qui se passe dans l'esprit des femmes, le diable lui-même ne le sait pas. »

Pour se donner contenance, il alluma une cigarette et en aspira profondément l'âcre fumée qui lui rappelait Cuba, l'immensité, étendue d'un horizon à l'autre, des champs de canne, le batey de la Centrale sucrière, la baraque empuantie où le soir venu il couchait pêle-mêle, après une journée épuisante, avec ses camarades d'infortune.

Dès qu'il entra dans la cour, un petit chien hirsute bondit vers lui en aboyant avec rage. Manuel fit mine de se baisser, de ramasser et de lui lancer une pierre. Le chien s'enfuit, la croupe basse et gémissant éperdument.

— Paix, paix là, dit la vieille Délira en sortant de la case.

Elle abritait ses yeux de sa main pour mieux voir arriver l'étranger. Il marchait vers elle, et, à mesure qu'il avançait, une lumière éblouie se levait dans son âme.

_____

(1) Esp. : Que se passe-t-il ?

Elle eut un élan vers lui, mais ses bras retombèrent le long de son corps, et elle chancela. la tête renversée.

Il la serrait contre lui.

Les yeux fermés, elle appuyait son visage contre sa poitrine et, d'une voix plus faible qu'un souffle, elle murmurait :

— *Pitite mouin, ay pitite mouin* (1).

Entre ses paupières fanées, les pleurs coulaient. Elle s'abandonnait de toute sa lassitude d'interminables années d'attente, sans force pour la joie comme pour l'amertume.

De surprise, Bienaimé avait laissé tomber sa pipe. Il la ramassa et l'essuya soigneusement contre sa vareuse.

— Baille-moi la main, garçon, dit-il. Tu es resté longtemps en chemin ; ta maman a beaucoup prié pour toi.

Il contempla son fils, le regard brouillé de larmes et ajouta sur un ton bourru :

— Quand même, tu aurais pu prévenir que tu arrivais, envoyer un voisin au-devant de toi avec la commission. La vieille a manqué mourir de saisissement. En vérité, tu es sans ménagement, mon fi.

Il soupesa le sac.

— Tu es plus chargé qu'une bourrique.

Il essaya d'en débarrasser Manuel, ploya sous le faix et le sac faillit lui échapper. Manuel le retint par la courroie :

— Laissez, papa, ce sac est lourd.

— Lourd ? protesta Bienaimé, confus. A ton âge, j'en portais d'autres et de bien plus conséquents. La jeunesse est gâtée aujourd'hui, elle

(1) Mon petit, ah, mon petit.

est sans courage. Elle ne vaut rien, la jeunesse,
c'est moi qui le dis.

Il chercha dans sa poche de quoi bourrer sa
pipe.

— Est-ce que tu as du tabac ? Dans ce pays
d'où tu sors, on dit que le tabac est aussi courant que les halliers dans nos mornes. La malédiction, quand même, sur ces Espagnols. Ils
nous prennent nos enfants pendant des années
et quand ils reviennent, ils sont sans considération pour leurs vieux parents. Pourquoi ris-tu?
Voilà qu'il rit, à l'heure qu'il est, cet effronté !

Indigné, il prenait Délira à témoin.

— Mais, papa... fit Manuel, retenant son sourire.

— Il n'y a pas de: mais, papa; je t'ai demandé
si tu avais du tabac ; tu aurais pu me répondre,
non ?

— Cé que tu ne m'as pas baillé le temps, papa.

— Qu'est-ce que tu veux dire par là ? Que
je parle tout le temps, pas vrai, que les paroles
me sortent de la bouche, comme l'eau à travers
une passoire ? Tu veux dérespecter ton propre
papa ?

Délira, d'un signe, essaya de le calmer, mais
le vieux jouait au furieux, y prenant son plaisir :

— Et puis, le goût m'a passé de fumer: tu
m'as trop contrarié, et le jour de ton arrivée
encore.

Mais comme Manuel lui tendait un cigare, il
le prit, le huma avec vénération, fit une fausse
grimace dégoûtée :

— Je me demande s'il est bon. Moi, j'aime
les cigares bien forts, moi-même.

Il se dirigea, à la recherche d'un tison, vers
l'appentis couvert de feuilles sèches de palmiers

qui servait de cuisine.

— Ne fais pas attention, fit Délira, touchant le visage de son fils d'un geste d'adoration timide. Il est comme ça ; c'est l'âge. Mais il a bon cœur, oui.

Bienaimé revint. Il avait maintenant la figure au beau temps.

— Merci, mon fi, pour un cigare, c'est un cigare tout de bon. Hé, Délira, qu'est-ce que tu as à te coller à ce garçon comme une liane grimpante ?

Il aspira une profonde bouffée, contempla le cigare avec admiration, cracha un long jet.

— Oui, foutre. C'est un cigare vrai ; il mérite son nom. Allons prendre, mon fi, un petit quèque chose contre l'émotion.

Manuel retrouva la case fidèle à sa mémoire : l'étroite galerie à balustrades, le sol battu, pavé de galets, les murs vétustes où transparaît le clissage.

Il a maintenant son regard du temps longtemps, un regard d'où s'est évanouie la vague amère des champs de canne et la tâche à mesurer chaque jour pour la fatigue sans fin du corps accablé.

Il s'assied ; il est chez lui, avec les siens, ramené à son destin : cette terre rebelle et sa barranque altérée, ses champs dévastés, et, sur sa colline, la crinière revêche des plantes dressées contre le ciel intolérable comme un cheval cabré.

Il touche le vieux buffet de chêne : bonjour, bonjour et je suis retourné ; il sourit à sa mère qui essuie les verres ; son père est assis, les mains sur les genoux et le regarde : il en oublie de tirer sur son cigare.

— La vie, c'est la vie, dit-il enfin, senten-
cieusement.

« Oui, c'est bien vrai, songe Manuel. La vie,
c'est la vie : tu as beau prendre des chemins de
traverse, faire un long détour, la vie c'est un
retour continuel. Les morts, dit-on, s'en reviennent en Guinée et même la mort n'est qu'un
autre nom pour la vie. Le fruit pourrit dans la
terre et nourrit l'espoir de l'arbre nouveau. »

Quand, sous le matraquage des Gardes Ruraux
il sentait ses os craquer, une voix inflexible lui
soufflait : tu es vivant, tu es vivant, mords ta
langue et tes cris car tu es un homme pour de
vrai, avec ce qu'il faut là où il en faut. Si tu
tombes, tu seras semé pour une récolte invin-
cible.

« Haitiano maldito, negro de mierda » (1), hurlaient les Gardes. Les coups ne faisaient même
plus mal. A travers un brouillard parcouru de
chocs fulgurants, Manuel entendait, comme une
source de sang, la rumeur inépuisable de la vie.

— Manuel ?

Sa mère lui servait à boire.

— Tu as l'air distrait comme un homme qui
voit des loups-garous en plein jour, fit Bienaimé.

Manuel avala son verre d'un trait.

L'alcool parfumé de cannelle lui lécha le creux
de l'estomac d'une langue brûlante et son ardeur
se précipita dans se veines.

— Merci, maman. C'est un bon clairin (2) et
bien réchauffant.

Bienaimé but à son tour après avoir versé
quelques gouttes sur le sol.

---

(1) Maudit Haïtien, sale nègre.
(2) Alcool de canne à sucre.

— Tu as oublié l'usage, gronda-t-il. Tu es sans égard pour les morts ; eux aussi ont soif.

Manuel rit.

— Oh, ils n'ont pas à craindre un refroidissement. Moi, j'avais sué et ma gorge était sèche à cracher de la poussière.

— Ce n'est pas l'insolence qui te manque, et l'insolence c'est l'esprit des nègres sots.

Bienaimé recommençait à se fâcher, mais Manuel se leva et lui mit la main sur l'épaule :

— On dirait que tu n'es pas content de me revoir ?

— Moi, qui est-ce qui dit ça ?

D'émotion, le vieux bégayait.

— Non, Bienaimé, fit Délira l'apaisant, personne n'a dit ça. Non, cher papa, tu as ton contentement et ta satisfaction. Voici notre garçon. Le bon Dieu nous a donné la bénédiction et la consolation. O merci, Jésus, Marie la Vierge, merci mes saints, je vous dis merci trois fois.

Elle pleurait ; ses épaules remuaient faiblement.

Bienaimé s'éclaircit la voix :

— Je vais prévenir le voisinage.

Manuel entoura sa mère de ses longs bras musclés :

— Assez de chagrin, t'en prie maman. Depuis ce jour d'aujourd'hui, je suis icitte pour le restant de ma vie. Toutes ces années passées j'étais comme une souche arrachée, dans le courant de la grand'rivière ; j'ai dérivé dans les pays étrangers ; j'ai vu la misère face à face ; je me suis débattu avec l'existence jusqu'à retrouver le chemin de ma terre et c'est pour toujours.

Délira essuya ses yeux :

— Hier au soir, j'étais assise là où tu me vois;

le soleil était couché, la nuit noire était la,
déjà ; il y avait un oiseau dans le bois qui criait
sans arrêt ; j'avais peur d'un malheur et je
songeais : est-ce que je vais mourir sans revoir
Manuel ? C'est que je suis vieille, pitite mouin ;
j'ai des douleurs, le corps n'est plus bon et la
tête n'est pas meilleure. Et puis la vie est si
difficile — l'autre jour je disais à Bienaimé, je
lui disais: Bienaimé, comment allons-nous faire?
La sécheresse nous a envahis ; tout dépérit : les
bêtes, les plantes, les chrétiens vivants. Le vent
ne pousse pas les nuages, c'est un vent maudit
qui traîne l'aile à ras terre comme les hirondelles
et qui remue une fumée de poussière : regarde
ses tourbillons sur la savane. Du levant au couchant, il n'y a pas un seul grain de pluie dans
tout le ciel : alors, est-ce que le bon Dieu nous
a abandonnés ?

— Le bon Dieu n'a rien à voir là-dedans.

— Ne déparle pas, mon fi. Ne mets pas de
sacrilèges dans ta bouche.

La vieille Délira, effrayée, se signa.

— Je ne déparle pas, maman. Il y a les affaires
du ciel et il y a les affaires de la terre : ça fait
deux et ce n'est pas la même chose. Le ciel,
c'est le pâturage des anges ; ils sont bienheureux; ils n'ont pas à prendre soin du manger
et du boire. Et sûrement qu'il y a des anges
nègres pour faire le gros travail de la lessive des
nuages ou balayer la pluie et mettre la propreté
du soleil après l'orage, pendant que les anges
blancs chantent comme des rossignols toute la
sainte journée ou bien soufflent dans de petites
trompettes comme c'est marqué dans les images
qu'on voit dans les églises.

Mais la terre, c'est une bataille jour pour jour,

une bataille sans repos : défricher, planter, sarcler, arroser, jusqu'à la récolte, et alors tu vois ton champ mûr couché devant toi le matin, sous la rosée, et tu dis : moi untel, gouverneur de la rosée, et l'orgueil entre dans ton cœur. Mais la terre est comme une bonne femme, à force de la maltraiter, elle se révolte : j'ai vu que vous avez déboisé les mornes. La terre est toute nue et sans protection. Ce sont les racines qui font amitié avec la terre et la retiennent : ce sont les manguiers, les bois de chênes, les acajous qui lui donnent les eaux des pluies pour sa grande soif et leur ombrage contre la chaleur de midi. C'est comme ça et pas autrement, sinon la pluie écorche la terre et le soleil l'échaude : il ne reste plus que les roches.

Je dis vrai : c'est pas Dieu qui abandonne le nègre, c'est le nègre qui abandonne la terre et il reçoit sa punition : la sécheresse, la misère et la désolation.

— Je ne veux plus t'entendre, fit Délira secouant la tête. Tes paroles ressemblent à la vérité et la vérité est peut-être un péché.

Le voisinage arrivait, c'était les habitants : Fleurimond Fleury, Dieuveille Riché, Saint-Julien Louis, Laurélien Laurore, Joachim Elia-cin, Lhérisson Célhomme, Dorélien Jean-Jacques le Simidor Antoine et les commères Destine, Clairemise et Merillia.

— Cousin, dit l'un, tu es resté longtemps dehors.

— Frère, fait l'autre, nous sommes contents de te voir.

Et un troisième l'appelle : beau-frère, et tous lui prennent la main dans leurs grandes mains rugueuses de travailleurs de la terre.

Destine le salue d'une révérence :

— C'est pas pour te faire un reproche, mais Délira se rongeait les sangs, la malheureuse.

Et Clairemise l'embrasse : Nous sommes la famille : Délira c'est ma tantine. L'autre jour je lui racontais un songe. Je voyais un homme noir, un homme de grand âge. Il était campé sur la grand-route, là où elle croise le chemin des Lataniers et il me dit : Va trouver Délira. Le reste, je ne l'ai pas entendu, les coqs chantaient, je me suis réveillée. C'était peut-être Papa Legba (1).

— Ou bien, c'était moi, dit le Simidor ; je suis vieux et noir, mais les femmes m'aiment toujours. Elles savent qu'avec les vieux bâtons on fait meilleure route. Elles me voient même en rêve.

— Assez là, fit Clairemise. Tu as un pied dans la tombe et tu vis encore dans le désordre.

Le Simidor rit largement.

Il était tout cassé maintenant et branlant comme un arbre pourri à la racine, mais il affilait sa langue à longueur de journées sur la meule des réputations et te contait un tas d'histoires et de racontars, sans ménager la salive.

Il regarda Manuel avec une étincelle de malice au coin de l'œil et découvrant ses quelques dents dessouchées :

— Sauf vot' respect, le proverbe dit: *Pissé qui gaillé, pas cumin* (2), mais le tonnerre me fende en deux, si tu n'es pas un nègre bien planté.

— Il est toujours là à dire des bêtises en

---

(1) Dieu Afro-Haïtien. Celui qui « ouvre » le chemin.
(2) Le pissat dispersé n'écume pas. Equivaut à : pierre qui roule, n'amasse pas mousse.

société, le rabroua Destine. Et le voilà qui
sermente encore. Mal élevé que vous êtes !

— Oui, fit Bienaimé avec fierté, c'est un nègre
de grande taille. Je reconnais ma race ; l'âge
m'a rabougri, mais dans le temps de ma jeunesse, je le dépassais d'une tête.

— Délira, interrompit Mérillia, Délira chère,
je vais te faire un thé contre le saisissement.
Tu as eu ton compte d'émotion aujourd'hui.

Mais Délira contemplait Manuel, son front dur
et poli comme une pierre noire, sa bouche au
pli têtu qui contrastait avec l'expression voilée
et comme lointaine de ses yeux. Une joie un peu
douloureuse remuait dans son cœur ainsi qu'un
enfant nouveau.

— Bon, commença Laurélien Laurore, —
c'était un habitant trapu, lent de mouvements
et de langage ; quand il parlait, il fermait les
poings comme pour retenir le fil des mots, —
bon ; on dit comme ça que dans ce pays de
Cuba, ils parlent une autre langue que nous
autres, comme qui dirait un jargon. On dit
encore qu'ils causent si tellement vite, que tu
peux ouvrir tout large le pavillon de ton oreille,
tu ne comprends rien à rien, à croire qu'ils
auraient monté chaque parole sur les quatre
roues d'un cabrouet à toute course. Est-ce que
tu la parles, cette langue-là ?

— Pour sûr, répondit Manuel.

— Et moi aussi, cria le Simidor, Il venait
d'avaler coup sur coup deux verres de clairin.
J'ai traversé plusieurs fois la frontière : ces
Dominicains-là, ce sont des gens comme nous-
mêmes, sauf qu'ils ont une couleur plus rouge
que les nègres d'Haïti, et leurs femmes sont des
mulâtresses à grande crinière. J'ai connu une

de ces bougresses, elle était bien grasse, pour
dire la vérité. Antonio, qu'elle m'appelait, voilà
comment elle m'appelait. Eh bien, question de
comparaison avec les femmes d'icitte, rien ne
lui manquait. Elle avait de tout et de bonne
qualité. Je pourrais faire un serment, mais Destine me criera après. Destine chérie, ce n'est pas
la langue qui compte, non, c'est le reste, tu peux
me croire.

Il étouffa un petit toussotement hilare.

— Je ne suis pas ta chérie. Et tu es un vagabond, un homme sans aveu.

Destine était hors d'elle-même, mais tous se
mirent à rire : Cet Antoine, quand même...

La bouteille de clairin circule à la ronde.
Manuel boit, mais il observe les habitants,
déchiffrant dans les rides de leurs visages l'écriture implacable de la misère. Ils se tiennent
autour de lui ; ils sont pieds nus et dans les
déchirures de leurs hardes rapiécées, on voit la
peau sèche et terreuse. Tous portent la machette
à leur côté, par habitude sans doute, car quel
travail s'offre maintenant à leurs bras désœu-
vrés ? Un peu de bois à couper pour réparer les
entourages des jardins, quelques bayahondes à
abattre pour le charbon que leurs femmes iront
colporter à dos de bourrique jusqu'à la ville.
C'est avec quoi ils devaient prolonger leur existence affamée, en ajoutant la vente de la volaille
et, par-ci par-là, d'une génisse maigre cédée à
bas prix au marché de Pont Beudet.

Mais, pour l'instant, ils semblaient avoir
oublié leur sort : ragaillardis par l'alcool, ils
riaient du bavardage intarissable d'Antoine :

— Mes amis, c'est moi-même qui le dis, —
est-ce que j'ai l'habitude de mentir ? — je dis

que cette petite négresse, cette mamzelle Héloïse, s'arrondit de plus en plus. Voilà ce qui arrive quand on se met à jouer à qui l'aura avec les jeunes garçons du voisinage. De mon temps cette question des filles : c'était un tracas et une difficulté. Il fallait des manœuvres, des feintes, des parler-français, enfin toutes les macaqueries, toutes les simagrées et au bout du compte, tu te trouvais placé (1) pour de bon et pour ainsi dire amarré comme un crabe, avec une case à bâtir, des meubles à acheter, sans compter la vaisselle.

Je songe à Sor (2) Mélie. La diablesse aurait pu mettre le feu à un bénitier. Une peau noire sans reproche, grâce à Dieu, des yeux avec des cils de soie et longs comme des roseaux le long d'un étang, des dents faites exprès pour la lumière du soleil et avec ça ronde de partout, bien grassette, comme je les aime. Tu la regardais et un goût de piment te montait à la bouche. Elle marchait avec un déhanchement à ras bord: c'était une danse pour la perdition de l'âme, ça te bouleversait véritablement jusqu'à la moelle.

Une après-midi, je rencontre Sor Mélie, revenant de la source, près du jardin de maïs de compère Cangé. Le soleil allait se coucher : c'était déjà la brune. Le chemin n'était pas passant.

De causer en causer, je prends la main de Sor Mélie : elle baisse les yeux et dit seulement : « Antoine ho, tu es hardi, oui, Antoine. » A l'époque, on était plus éclairé que vous autres nègres d'aujourd'hui, on avait de l'instruction : je

---

(1) Plaçage : mariage paysan.
(2) Sœur.

commence donc dans mon français français : « Mademoiselle, depuis que jé vous ai vur, sous la galérie du presbytè, j'ai un transpô' d'amou' pou' toi. J'ai déjà coupé gaules, poteaux et paille pou' bâtir cette maison de vous. Le jou de not' mariage les rats sortiront de leurs ratines et les cabrits de Sor Minnaine viendront beugler devant notre porte. Alô' pou' assurer not' franchise d'amour, Mademoiselle, je demande la permission pour une petite effronterie. »

Mais Sor Mélie me retire sa main, ses yeux font des éclairs, et elle me répond : « Non, Mussieu, quand les mangos fleuri et les cafés mûriront, quand le coumbite traversé la riviè' au son des boulas, alô' si vous êtes un homme sérieux, vous irirez réconnait'e mon papa et ma maman. »

Pour manger, il faut s'asseoir à table, pour avoir Sor Mélie, j'ai été obligé de la marier. C'était une bonne femme, elle est morte, il y a longtemps déjà. Le repos éternel pour elle. Ainsi soit-il.

Et il s'envoya d'une seule goulée un gobelet de clairin. Les habitants s'esclaffèrent.

— Ah la canaille, murmura Destine, troussant les lèvres avec mépris.

Mais Laurélien Laurore, avec une sorte d'application patiente sur son visage placide, interrogeait Manuel.

— Bon : je vais te demander encore. Est-ce qu'ils en ont, de l'eau ?

— En quantité, *viejo* (1). L'eau court d'un bout à l'autre des plantations et c'est une belle

_____

(1) Mon vieux.

canne qui pousse là et de plus grand rendement que notre canne créole.

Tous écoutaient maintenant.

— Tu pourrais marcher d'icitte à la ville, sans rien voir d'autre que la canne, la canne de tout côté, sauf, de temps à autre, un palmiste sans importance, comme un balai oublié.

— Alors, tu dis qu'ils ont de l'eau, fit Laurélien songeur.

Et Dieuveille Riché demanda :

— Et à qui est-elle cette terre, et toute cette eau ?

— A un blanc américain, Mister Wilson qu'il s'appelle. Et l'usine aussi et tous les environs, c'est sa propriété.

— Et des habitants, il y en a des habitants comme nous ?

— Tu veux dire avec une portion de terre, la volaille, quelques bêtes à cornes ? Non ; seulement des travailleurs pour couper la canne à tant et tant. Ils n'ont rien que le courage de leurs bras, pas une poignée de terre, pas une goutte d'eau, sinon leur propre sueur. Et tous travaillent pour Mister Wilson et ce Mister Wilson pendant ce temps est assis dans le jardin de sa belle maison, sous un parasol, ou bien il joue avec d'autres blancs à envoyer et renvoyer une boule blanche avec une espèce de battoir à lessive.

— Eh, dit Simidor, amèrement cette fois, si le travail était une bonne chose, il y a longtemps que les riches l'auraient accaparé.

— Bien dit, Simidor, approuva Saint-Julien Louis.

— J'ai laissé des milles et des milles d'Haïtiens du côté d'Antilla. Ils vivent et ils meurent comme des chiens. *Matar a un Haitiano o a un perro* : tuer un Haïtien ou un chien, c'est la même chose, disent les hommes de la police rurale : des vraies bêtes féroces.

— C'est une insolenceté, s'exclama Lhérisson Célhomme.

Manuel demeura un instant silencieux.

Il se rappelait cette nuit. Il était en route pour la réunion clandestine.

La grève se préparait. Alto ! (1) avait crié une voix. Manuel s'était jeté de côté, s'adossant aux ténèbres. Malgré la rumeur frémissante du vent dans les cannes, il percevait, non loin de lui, une respiration excitée. Invisible, contracté, les mains prêtes, il attendait. Alto, alto ! répéta la voix, nerveusement. Une faible lueur raya la nuit. Manuel, d'un bond, saisit le revolver, brisa le poignet du garde. Ils roulèrent sur le sol. L'homme voulut héler au secours, Manuel d'un coup de crosse lui cassa les dents et frappa à coups redoublés jusqu'à enfoncer son arme dans le mou.

Il soupira de satisfaction à ce souvenir.

— Oui, dit le Simidor, c'est comme ça et c'est une injustice. Les malheureux travaillent au soleil et les riches jouissent dans l'ombrage ; les uns plantent, les autres récoltent. En vérité, nous autres le peuple, nous sommes comme la chaudière ; c'est la chaudière qui cuit tout le manger, c'est elle qui connaît la douleur d'être sur le feu, mais quand le manger est prêt, on dit à la chaudière : tu ne peux venir à table, tu salirais la nappe.

— C'est la vérité même, s'écria Dieuveille

_____

(1) Halte là !

Riché.

Une lourde tristesse tombait sur les habitants. La deuxième bouteille de clairin était vide. Ils étaient ramenés à leur condition et aux pensées qui les tourmentaient : la sécheresse, les champs ravagés, la faim.

Laurélien Laurore tendit la main à Manuel :

— Je vais m'en aller, frère. Prends un repos après cette longue route. J'aimerais causer avec toi une autre fois de ce pays de Cuba. Alors, je dis : adieu, oui.

— Adieu, *compadre* (1).

L'un après l'autre, ils le saluèrent, sortirent de la case, répétant :

— Délira, cousine, adieu, oui, Bienaimé, frère, adieu, oui.

— Adieu, voisins, répondaient les vieux, et merci pour la politesse.

Sur le pas de la porte. Manuel les regarda disparaître par les sentiers qui à travers bois menaient à leurs cases.

— Tu dois avoir grand goût, lui dit sa mère. Je vais te préparer à manger : il n'y a pas grand-chose, tu sais.

Sous l'appentis de feuilles de palmiers, elle s'accroupit devant les trois pierres noircies, alluma le feu, en aviva patiemment la flamme naissante en l'éventant de la paume de la main.

— Il y a de la lumière sur son front, pensait-elle avec extase.

Le soleil déclinait dans le ciel : on n'était pas loin de l'Angélus, mais une buée de chaleur épaissie de poussière persistait à l'horizon des bayahondes.

---

1) Compère.

III

— Ce doit être l'avant-jour, se dit Manuel.

Sous la porte rampait, avec une légère froidure, la clarté brouillée de l'aube. Il entendait dans la cour le chant agressif des coqs, le battement d'ailes et le piaillement affairé des poules.

Il ouvrit la porte. Le ciel, baigné de nuit, pâlissait au levant, mais le bois, encore endormi, reposait dans une masse d'ombre.

Le petit chien l'accueillit de mauvaise grâce et montrant les dents avec hargne, ne cessait de gronder.

— En voilà un chien ennuyant, un chien haïssable, s'écria la vieille Délira, le chassant de la voix et du geste.

Elle était déjà occupée à chauffer le café.

— Tu t'es levé de grand matin, petite mouin. Est-ce que tu as dormi ton compte de sommeil ?

— Bonjour, maman ; papa, je te dis bonjour, oui.

— Comment ça va, mon fi, répondit Bienaimé.

Il trempait un morceau de cassave dans son café.

Délira offrit à Manuel un godet d'eau fraîche. Il se lava la bouche et les yeux.

— Je n'ai pas dormi, se plaignait Bienaimé,

non je n'ai pas bien dormi. Je me suis réveillé
au mitan de la nuit, et je n'ai fait que me
tourner et me retourner jusqu'à l'avant-jour.

— C'est peut-être le contentement qui te
démangeait, remarqua Délira en souriant

— Quel contentement ? rétorqua le vieux.
C'était pour plus sûr les puces.

Tandis que Manuel buvait son café, une rou-
geur peu à peu montait et s'élargissait au-dessus
du morne. La savane et sa broussaille crépue,
avec la lumière, prenait de l'espace, s'étendait
jusqu'à la lisière indécise où l'aube se dégageait
lentement de l'embrassement confus de la nuit.

Dans le bois, les pintades sauvages jetèrent
leur appel véhément.

« C'est pourtant de la bonne terre, pensait
Manuel. Le morne est perdu, c'est vrai, mais la
plaine peut encore donner sa bonne mesure de
maïs, de petit-mil, et tous genres de vivres. Ce
qu'il faudrait, c'est l'arrosage. »

Il voyait comme en songe, l'eau courante dans
les canaux comme un réseau de veines charriant
la vie jusqu'au profond de la terre ; les bananiers inclinés sous la caresse soyeuse du vent,
les épis barbus du maïs, les « carreaux » de
patates allongés dans les jardins : toute cette
terre roussie, recrépie aux couleurs de la verdure.

Il se tourna vers son père :

— Et la source Fanchon ?

— Quoi, la source Fanchon ?

Bienaimé émiettait dans sa pipe ce qui lui
restait du mégot de la veille.

— Par rapport à l'eau.

— Sèche comme le plat de ma main.

— Et la source Lauriers ?

— Tu es persistant, mon nègre. Pas une goutte, non plus. Il n'y a que la mare Zombi, mais c'est un marigot à maringouins (1) : une eau pourrie comme une couleuvre morte, enroulée, une eau épaisse et sans force pour courir.

Manuel garda le silence ; un pli têtu contractait sa bouche.

Bienaimé traîna sa chaise vers le calebassier et s'assit en l'appuyant contre le tronc. Il était tourné vers la route où passaient des paysannes, conduisant leurs bêtes de charges poussives.

« Hue, bourrique, hue », leurs cris aigres s'élevaient dans le calme matinal.

— Maman, comment allez-vous vivre ?

— A la grâce de Dieu, murmura Délira.

Elle ajouta tristement :

— Mais il n'y a pas de miséricorde pour les malheureux.

— Ça ne sert à rien, la résignation.

Manuel secoua la tête avec impatience.

— C'est traître, la résignation ; c'est du pareil au même que le découragement. Ça vous casse les bras : on attend les miracles et la Providence, chapelet en main, sans rien faire. On prie pour la pluie, on prie pour la récolte, on dit les oraisons des saints et des loa (2). Mais la Providence, laisse-moi te dire, c'est le propre vouloir du nègre de ne pas accepter le malheur, de dompter chaque jour la mauvaise volonté de la terre, de soumettre le caprice de l'eau à ses besoins ; alors la terre l'appelle : cher maître, et l'eau l'appelle : cher maître, et n'y a d'autre

---

(1) Moustiques.
(2) Divinités afro-haïtiennes.

Providence que son travail d'habitant sérieux, d'autre miracle que le fruit de ses mains.

Délira le regarda avec une tendresse inquiète :

— Tu as la langue habile et tu as voyagé dans les pays étrangers. Tu as appris des choses qui dépassent mon entendement : je ne suis qu'une pauvre négresse sotte. Mais tu ne rends pas justice au bon Dieu. C'est lui le Seigneur de toutes choses ; il tient dans ses mains le changement des saisons, le fil de la pluie et la vie de ses créatures. C'est lui qui donne la lumière au soleil et qui allume les chandelles des étoiles ; il souffle sur le jour et il fait grande nuit ; il dirige les esprits des sources, de la mer et des arbres : Papa Loko (1), dit-il ; Maître Agoué (2), il dit, vous m'entendez ? Et Loko-atisou répond : que ta volonté soit faite ; et Agoueta-Woyo répond : amen.

Est-ce que tu as oublié ces choses ?

— Il y a longtemps que je ne les avais plus entendues, maman.

Manuel souriait et Délira décontenancée soupira :

— Ay, mon fi, c'est que c'est la vérité, oui.

Il faisait maintenant grand jour. Le soleil d'un rouge colérique embrasait la crête des mornes. Les érosions s'avivèrent d'une lumière crue, et les champs apparurent dans leur pleine nudité. Dans la savane, les bœufs harcelés par les taons, mugirent longuement. La fumée des boucans de charbonniers flottait au-dessus des bayahondes.

Manuel alla chercher sa machette.

— Je vais faire un tour dans le pays, maman.

— Et de quel côté ?

---

(1) et (2) Divinités afro-haïtiennes.

— Par là.

Il fit un geste vague vers la colline.

— Je vais t'espérer ; ne muse pas trop en chemin, mon fi.

Le regardant se diriger vers le bois, Bienaimé grommela :

— Il n'est pas arrivé qu'il se met déjà à vagabonder.

Manuel traversait le bois encore assombri et les branchages se penchaient sur le sentier bordé de cactus. Mais il se rappelait : après des détours et des croisements le chemin déboucherait dans le vallon resserré où Bienaimé avait autrefois défriché un morceau de terre à coton, et puis, par l'échancrure du morne, il monterait jusqu'à la source.

Il débucha une compagnie de pintades qui s'envola bruyamment à travers un fourré de campêchers : « Je pourrais essayer d'en prendre à l'éperlin, mais les pintades, ça a plus de ruse que la tourterelle et l'ortolan. » Il se sentait plein d'allégresse, malgré la pensée obstinée qui le hantait. Il avait envie de chanter un salut aux arbres : Plantes, ô mes plantes, je vous dis : honneur ; vous me répondrez : respect, pour que je puisse entrer. Vous êtes ma maison, vous êtes mon pays. Plantes, je dis : lianes de mes bois, je suis planté dans cette terre, je suis lié à cette terre. Plantes, ô mes plantes, je vous dis : honneur ; répondez-moi : respect, pour que je puisse passer.

Il avait repris ce pas allongé et presque négligent, mais qui a bonne allure, des nègres de la plaine, dégageant parfois sa route d'un coup de machette rapide et il chantonnait encore lorsqu'il arriva à une clairière. Un habitant y dressait sa meule de charbon. C'était un nègre épais et comme foulé sous le pilon. Ses mains énormes pendaient au bout de ses bras ainsi que des paquets de racines. Ses cheveux lui descendaient sur le front buté par petits buissons enroulés et clairsemés.

Manuel le salua, mais l'autre, sans répondre, le regardait : sous l'avancée des sourcils, son regard bougeait comme un animal méfiant dans un terrier embroussaillé.

A la fin, il dit :

— Tu es le nègre qui est retourné hier de Cuba ?

— C'est moi-même.

— Tu es le garçon de Bienaimé ?

— C'est moi-même.

Le regard aminci, jusqu'à n'être plus qu'une escarbille brûlante, l'habitant dévisagea Manuel, puis avec une lenteur calculée, il tourna la tête, cracha, et se remit à sa meule.

Manuel se débattait entre la surprise et la rage. Encore une seconde de ce voile rouge sur les yeux et il aurait rentré à l'inconnu son insolence à coups de plat de machette sur le crâne, mais il se domina.

Il poursuivit son chemin, remâchant sa colère et son malaise : « *El hijo de puta...* » (1). Mais que se passe-t-il ? Il se rappelait le brusque changement d'attitude d'Annaïse. « Il y a quelque chose de pas clair dans tout ça. »

Le vallon s'étendait au pied du morne. Les eaux dévalant des hauteurs l'avaient raviné et, par la pente, sa terre dévalée avait été se perdre

_____

(1) Le fils de putain.

au loin. Les os des pierres perçaient sa peau
maigre et les cadaches, qui sont parmi les
plantes des araignées toutes velues de piquants,
l'avaient envahi.

Manuel prit par le flanc du morne. Il montait
dans la flambée du soleil. Il ne jeta qu'un coup
d'œil vers la plaine, sa couleur de maladie, le
crin grisâtre de ses bayahondes, la ravine dérou-
lant au soleil la longue coulée de ses galets. Il
tourna dans le sentier qui, de biais, redescendait
vers la faille où autrefois coulait la source
Fanchon.

Les dalles de pierres lissées par l'eau son-
nèrent sous ses pas. Il les avait connues veinées
de mousse humide : il se rappelait l'eau pure, sa
phrase longuement dégorgée, sans commencement ni fin et le souffle du vent déchiré par les
appels d'air comme un linge mouillé. Elle sortait
de loin, la source, songeait Manuel, elle venait
des reins mêmes du morne, cheminant secrète-
ment, filtrant avec patience dans le noir, pour
apparaître, enfin, dans la brèche de la colline,
débarrassée de limon, fraîche et claire comme
un regard d'aveugle.

Il n'en restait qu'une cicatrice de graviers et
de chiendent, et, plus loin, là où commençait le
plat du vallon, des blocs de roches, ayant roulé
du morne, reposaient autour d'un sablier ainsi
qu'un bétail paisible.

Il avait voulu se rendre compte ; eh bien, il
savait maintenant, et pour la source Lauriers
ça devait être pareil ; un trou de boue caillée
et c'était tout, alors est-ce qu'il fallait se résigner à dépérir lentement, à s'enfoncer sans
remède dans le mouvant de la misère et dire à
la terre : adieu, je renonce ; non : derrière les

mornes, il y avait d'autres mornes, et que le tonnerre l'écrase s'il ne fouillait les veines de leurs ravins avec ses propres ongles, jusqu'à trouver l'eau, jusqu'à sentir sa langue humide sur la main.

— Compère, tu n'as pas vu une jument rouge dans ces parages ?

C'était la voix de Laurélien.

— La maudite a cassé sa corde.

Il descendit pesamment la pente vers Manuel.

— Comme quoi, tu refais connaissance avec le pays, frère ?

— Entendre et voir, ça fait deux, répondit Manuel, c'est pourquoi je suis venu icitte ce grand matin. Je me disais dans ma tête, je me disais comme ça : peut-être qu'il reste un petit filet caché, ça arrive parfois que l'eau se perde dans la passoire du sable, et puis, elle s'égoutte jusqu'à rencontrer le dur et mange son chemin dans le fond de la terre.

Il détacha avec sa machette une motte durcie, la cassa contre une pierre. Elle était pleine de brindilles et de détritus de racines desséchés qui s'écrasaient sous les doigts.

— Regarde : il n'y a plus rien ; l'eau est tarie depuis les entrailles du morne. C'est pas la peine de chercher plus loin, parce que c'est inutile.

Et avec une colère soudaine.

— Mais pourquoi, foutre, avez-vous coupé le bois : les chênes, les acajous et tout ce qui poussait là-haut ? En voilà des nègres inconséquents, des nègres sans mesure.

Laurélien lutta un moment avec les mots :

— Que veux-tu, frère... On a éclairci pour le bois-neuf, on a coupé pour la charpente et le faîtage des cases, on a refait les entourages des

jardins, on ne savait pas nous-mêmes : l'ignorance et le besoin marchent ensemble, pas vrai ?

Le soleil raclait le dos écorché du morne avec
des ongles étincelants ; la terre haletait par sa
barranque altérée, et le pays enfourné dans la
sécheresse se mettait à chauffer.

— Il se fait tard, dit Laurélien. Ma jument
est à courir par là ; elle est en chaleur et j'ai
peur que la salope se fasse couvrir par l'alezan
bancal de compère Dorismond.

Ils grimpèrent ensemble la pente.

— Est-ce que tu viendras demain-si-dieu-veut
à la gaguière ? (1)

— Si l'idée m'en dit, fit Manuel.

Il n'était préoccupé que d'une chose et il en
tirait de l'irritation. Laurélien le sentit confusé-
ment et garda le silence. Arrivé à l'endroit où
le sentier s'embranchait avec la montée et la
descente, Manuel s'arrêta :

— Laurélien, dit-il, je vais te parler franc,
mon compère. Ecoute-moi, t'en prie, écoute-moi
bien. Cette question de l'eau, c'est la vie ou la
mort pour nous, la salvation ou la perdition.
J'ai passé une partie de la nuit les yeux clairs :
j'étais sans sommeil et sans repos à force de
réflexions. Manuel, je calculais, comment sortir
de cette misère ? Plus j'examinais la chose dans
ma tête, plus je voyais qu'il n'y avait qu'un
chemin et tout drète : faut chercher l'eau.
Chaque nègre a sa conviction, n'est-ce pas ? Eh
bien, je fais le serment : je trouverai l'eau et je
l'amènerai dans la plaine, la corde d'un canal
au cou. C'est moi qui le dis, moi-même, Manuel

_____

(1) Où ont lieu les combats de coqs.

Jean-Joseph.

Laurélien le regardait, les yeux élargis :

— Et comment vas-tu faire ?

— Espère, et tu verras. Mais, pour le moment, confiance pour confiance, c'est un secret entre nous.

— Que la Vierge Altagràce me crève les yeux si je dis un mot.

— Bon : et si j'ai besoin de ton concours, je peux compter sur toi ?

— Soyez assuré, jura solennellement Laurélien.

Ils se serrèrent la main.

— D'accord ? fit Manuel.

— D'accord.

— En vérité ?

— En vérité, trois fois.

Tandis que Manuel descendait la butte, Laurélien lui cria encore :

— Compère Manuel, ho ?

— Plaît-il, oui, compère Laurélien ?

— Tu peux parier demain sur mon coq : il n'y a pas plus vaillant.

Manuel longea le bois ; l'ancien défrichage l'avait rongé en bordure, mais il reprenait maintenant ses droits avec la poussée tenace des cactus arborescents hérissés d'aiguilles, leurs larges feuilles charnues, insensibles au mouvement de l'air, épaisses et luisantes comme la peau des caïmans.

Lorsqu'il arriva chez lui, le ciel tourné au gris-fer pesait ainsi qu'un couvercle brûlant sur l'ouverture des arbres. La case appuyée contre la tonnelle semblait abandonnée depuis une saison sans âge. Bienaimé somnolait sous le calebassier. La vie s'était détraquée, figée dans

son cours: le même vent balayait les champs par
rafales de poussière ; au-delà de la savane, le
même horizon barrait la vue à tout espoir et
reprisant une robe mille fois usée, la vieille
Délira repassait, en tourment, les pensées de
chaque jour : la réserve de vivres baissait, on
en était déjà réduit à quelques poignées de petit-
mil et de pois-congo, ay Vierge Marie, ce n'était
pas sa faute, elle avait fait son devoir et pris
ses précautions selon la sagesse des anciens.
Avant de semer le maïs, au lever du matin,
devant l'œil rouge et vigilant du soleil, elle avait
dit au Seigneur Jésus-Christ, tournée vers le
levant, aux Anges de Guinée, tournée vers le
sud, aux Morts, tournée vers le couchant, aux
Saints, tournée vers le nord, elle leur avait dit,
jetant les grains aux quatre directions sacrées :
Jésus-Christ, les Anges, les Morts, les Saints :
voici le maïs que je vous donne, donnez-moi en
retour le courage de travailler et la satisfaction
de récolter. Protégez-moi contre les maladies et
ma famille aussi : Bienaimé, mon homme, et
mon garçon en pays étranger. Protégez ce jardin
contre la sécheresse et les bêtes voraces, c'est
une faveur que je demande, s'il vous plaît, par
la Vierge des Miracles, amen et merci.

Elle leva les yeux fatigués sur Manuel :

— Alors tu es de retour, mon fi.

— J'ai quelque chose à te demander, maman.
Mais d'abord je vais me laver.

Il puisa de l'eau dans la jarre, en remplit une
gamelle. Torse nu, derrière la case, sa peau
frottée avec vigueur prenait une lumière lustrée
et ses muscles s'étiraient avec souplesse comme
des lianes gonflées de sève.

Il revint, rafraîchi, et tira le banc sous la

tonnelle. Sa mère s'assit près de lui. Il lui raconta son étrange aventure dans le bois.

— Dis-moi comment est ce nègre ? demanda Bienaimé qui s'était réveillé.

— C'est un nègre noir, dru et membré, avec des cheveux en grains de poivre.

— Et des yeux enfoncés profond ?

— Oui.

— C'est Gervilen, déclara Bienaimé. Ah le maudit, le chien, le vagabond.

— Et hier, j'ai fait route avec une fille, nous avons causé d'amitié, mais quand je lui ai dit qui j'étais, elle m'a tourné le dos.

— Quel genre de négresse c'était ? interrogea encore le vieux.

— De belle taille, avec de gands yeux, des dents blanches, la peau fine. Elle m'a dit son nom : Annaïse, qu'elle s'appelle.

— C'est la fille de Rosanna et de défunt Beaubrun. Une grande gaule bonne à cueillir les imbéciles, avec des yeux de vache laitière; quant à sa peau, je m'en fous, et pour ses dents, je n'ai jamais ri avec elle pour les remarquer.

Bienaimé bouillait de colère et les mots s'embrouillaient dans les flocons de sa barbe.

— Pourquoi sommes-nous ennemis? demanda Manuel.

Sans répondre, Bienaimé alla chercher sa chaise.

Il y avait sous la tonnelle un jeu d'ombre qui venait du feuillage de palmier qui la couvrait.

— C'est une histoire ancienne, commença le vieux, mais elle n'est pas oubliée. Tu étais à Cuba à l'époque.

Il mâcha le tuyau de sa pipe.

— Le sang a coulé.

— Racontez, papa, je vous écoute, fit Manuel avec politesse.

— Eh bien, mon fi, lorsque feu Johannes Lonjeannis est mort, — on l'appelait Général Lonjeannis parce qu'il avait fait la guerre avec les cacos (1) — il a fallu arriver au partage des terres.

C'était un véritable *don* (2), si tu as mémoire, ce général Lonjeannis, un nègre de grandes manières, un patriarche : on n'en voit plus de ce format. Par lui, on était pour ainsi dire tous parents. Il avait fait des enfants sans compter. Avec ma propre grand-tante, il avait eu Dorisca, le papa de ce Gervilen, la malédiction d'enfer sur sa tête galeuse. Un partage, ça se fait avec force discussions, c'est vrai, mais on est la famille, n'est-ce pas, on finit par se mettre d'accord. On dit : tu conçois, compère Un Tel ? et un compère Un Tel répond : je conçois, et chacun prend son quartier de terre. La terre n'est pas un drap, il y a de la place pour tous. Mais voilà que Dorisca reste sourd comme un mulet rétif et un beau jour il s'amène avec sa famille et une escorte de partisans et prend possession. Nous autres, on va voir ce qui se passe. Ils étaient déjà en plein coumbite, Dorisca et sa bande, et ils n'avaient pas ménagé le clairin. Mon frère, défunt Sauveur Jean-Joseph, le bon Dieu ait pitié de son âme, n'étant pas capon, s'approche le premier : Compère Dorisca, il dit, tu n'agis pas dans ton droit. Mais Dorisca lui répond : Ote-toi de ma terre, ou je vais te hacher en

_____

(1) Paysans révolutionnaires.
(2) Gros propriétaire paysan. Vient de l'espagnol.

morceaux que même les chiens vomiront. Alors tu m'injuries, fait défunt Sauveur. La merde, répond Dorisca et ta maman ceci et ta maman cela. Tu n'aurais pas dû dire ça, fait Sauveur et il tire sa machette avant l'autre et l'étend raide mort.

Alors la bataille a commencé. Il y a eu des blessés en quantité. Moi-même...

Bienaimé souleva sa vareuse et souligna du doigt le tracé d'une cicatrice entre les poils blancs de sa poitrine.

— Et Sauveur est mort en prison, c'était mon frère cadet et c'était un bon nègre.

Bienaimé essuya une larme de son poing serré.

— J'écoute, dit Manuel.

— On a fini par séparer la terre, avec l'aide du juge de paix. Mais on a partagé aussi la haine. Avant on ne faisait qu'une seule famille. C'est fini maintenant. Chacun garde sa rancune et fourbit sa colère. Il y a nous et il y a les autres. Et entre les deux : le sang. On ne peut enjamber le sang.

— Ce Gervilen est un homme plein de mauvaisetés, murmura Délira. Et quand il boit, le clairin dérange son esprit.

— C'est un nègre sans conscience, renchérit Bienaimé.

Tête basse, Manuel écoutait. Ainsi un nouvel ennemi se dressait dans le village et le divisait aussi sûrement que par une frontière. C'était la haine et son ruminement amer du passé sanglant, son intransigeance fratricide.

— Qu'est-ce que tu dis ? fit Bienaimé.

Manuel s'était levé. Devant son regard, les toits de chaume apparaissaient entre les arbres et dans chaque case macérait le poison noir de la vengeance.

— Je dis que c'est dommage.

— Je ne te comprends pas, mon fi.

Mais Manuel s'en allait lentement vers les champs, il marchait dans le soleil, il foulait les plantes flétries et il courbait un peu le dos comme s'il portait un fardeau.

IV

Quelques jours plus tard Manuel réparait la tonnelle. Il remplaçait une traverse vermoulue par un jeune tronc de campêcher. Il l'avait ébranché, dévêtu de son écorce et mis à sécher. Mais le bois transpirait encore un peu d'humidité rouge.

— C'est bien que tu arranges la tonnelle, dit sa mère.

— C'était tout pourri, répondit Manuel distraitement.

Sa mère prit un temps :

— Parce que j'ai prévenu Dorméus.

— Dorméus ?

— Le houngan (1), mon fi.

Manuel assura la traverse.

— Tu m'entends, petite mouin ?

— Je t'entends, oui.

Il enfonçait les clous dans la chair tendre du campêcher.

— Ce sera pour après-demain-si-dieu-veut, dit Délira.

— Si-dieu-veut, répéta Manuel.

_____

(1) Prêtre du vaudou.

— Bienaimé a été chercher des feuilles fraîches pour couvrir la tonnelle. C'est un grand devoir que nous avons à remplir.

Manuel descendit du banc. Il avait fini.

— C'est lui, Papa Legba, qui t'a ouvert le chemin du retour. Clairemise l'a vu en songe, Atibon-Legba, le maître des carrefours. Il nous faut le remercier. J'ai déjà invité la famille et le voisinage. Demain, tu iras au bourg acheter cinq gallons de clairin et deux bouteilles de rhum.

— J'irai, répondit Manuel.

Le surlendemain soir, les habitants attendaient sous la tonnelle nouvellement parée. Des lumignons accrochés aux poteaux brûlaient avec une âcre odeur et, selon le battement d'ailes du vent, léchaient l'ombre d'une langue fumeuse.

Une rumeur de voix, sur la route, annonça l'arrivée de Dorméus. Bienaimé l'attendait déjà à la barrière. Le houngan s'avança ; c'était un grand nègre rougeâtre, du sérieux dans chacun de ses mouvements. La théorie de ses hounsi (1) coiffées et vêtues de blanc immaculé le suivait, et elles élevaient dans leurs mains des esquilles de pin allumées. Elles précédaient le La Place, ordonnateur du cérémonial, les porte-drapeaux, les joueurs de tambours et de gong.

Faisant une révérence, Bienaimé offrit à Dorméus une cruche d'eau. Le houngan la reçut avec gravité, la souleva lentement de ses deux mains jointes vers les quatre directions cardinales. Ses lèvres murmuraient les paroles secrètes. Il arrosa ensuite le sol, traça un cercle

---

(1) Initiées du vaudou.

magique, redressa sa haute taille et se mit à chanter accompagné de tous les assistants :

Papa Legba, l'ouvri barriè-a pou nous, ago yé !
Atibon Legba, ah l'ouvri barriè a pou nous, pou
nous passer
Lo n'a rivé, n'a remercié loa yo
Papa Legba, mait'e trois carrefours, mait'e trois
chemins, mait'e trois rigoles
L'ouvri barriè-a pou nous, pou nous entrer
Lo n'a entré, n'a remercié loa yo (1).

— Passez, papa, passez, dit Bienaimé, s'effaçant humblement devant le houngan.

Dorméus prit les devants, suivi de ses gens. Les torches jetaient une lumière furtive sur les robes blanches des hounsi, tiraient quelques étincelles des paillettes dorées des drapeaux. Le reste avançait dans un remous plus épais que la nuit.

Et Legba était déjà là, le vieux dieu de Guinée. Il avait pris sous la tonnelle la forme de Fleurimond mais l'avait remodelé à son image vénérable, d'après son âge immémorial : les épaules voûtées et appuyé tout haletant d'épuisement sur la béquille d'une branche tordue.

Les habitants ouvrirent devant le houngan le chemin du respect. Les porte-drapeaux balan-

(1) Papa Legba, ouvre la barrière pour nous, afin que nous puissions passer, ago yé — Atibon Legba, ah, ouvre la barrière pour nous, afin que nous puissions passer — Lorsque nous serons arrivés, nous remercierons les loa...
Papa Legba, maître des trois carrefours, maître des trois chemins, maître des trois rigoles — Ouvre la barrière pour nous, pour que nous puissions entrer — Lorsque nous serons entrés nous remercierons les loa.

cèrent au-dessus du possédé un dais de banniè-
res déployées. Dorméus dessina à ses pieds le
vêvê magique, planta en son mitan une bougie
allumée.

— Tes enfants te saluent, dit-il au Legba ;
ils t'offrent ce service en remerciement et en
action de grâces.

Il désigna un sac de vannerie qui pendait au
poteau central :

— Voici ta macoute, avec les vivres dont tu
auras besoin dans ton voyage de retour. Rien
ne manque : l'épis de maïs boucané, arrosé de
sirop et d'huile d'olive, des salaisons, des gâteaux
et la liqueur pour ta soif.

— Merci, fit le loa d'une voix éteinte, merci
pour le manger et le boire. Je vois que vos
affaires vont mal avec cette sécheresse. Mais ça
va changer, ça va passer. Le bon et le mauvais
font une croix. Moi Legba, je suis le maître de
ce carrefour. Je ferai prendre la bonne route à
mes enfants créoles. Ils sortiront du chemin de
la misère.

Un chœur de prières l'entoura :

— Fais ça pour nous, papa, t'en prie, ay,
cher papa, s'il vous plaît. La pénitence est trop
grande et sans toi nous sommes sans défense.
Grâce, grâce, la miséricorde.

Le possédé acquiesça d'un mouvement sénile.
Sa main tremblait sur la béquille et il prononça
encore quelques mots essoufflés et inintelligibles.

Dorméus fit un signe : le battement entre-
coupé des tambours préluda, s'amplifia en un
sombre volume percuté qui déferla sur la nuit et
le chant unanime monta, appuyé sur le rythme
antique et les habitants se mirent à danser leur
supplication, genoux fléchis, bras écartés :

Legba, fais leur voir ça
Alegba-sé, c'est nous deux.

Leurs pères avaient imploré les fétiches de Whydah en dansant ce Yanvalou et en leurs jours de détresse, ils s'en souvenaient avec une fidélité qui ressuscitait de la nuit des temps la puissance ténébreuse des vieux dieux Dahoméens :

C'est nous deux, Kataroulo
Vaillant Legba, c'est nous deux.

Les hounsi tournoyant autour du poteau central mélangeait l'écume de leurs robes à la vague brassée des habitants vêtus de bleu et Délira dansait aussi, le visage recueilli, et Manuel, vaincu par la pulsation magique des tambours au plus secret de son sang, dansait et chantait avec les autres :

criez abobo (1), *Atibon Legba*
Abobo Kataroulo, Vaillant Legba.

Dorméus agita son *asson,* le hochet rituel fait d'une calebasse évidée, ornée d'un treillis de vertèbres de couleuvre et de perles de verroteries entrelacées. Les tambours s'apaisèrent. Au milieu du *vêvê,* le La Place avait déposé sur une serviette blanche un coq couleur de flamme afin de centrer toutes les forces surnaturelles en un seul nœud vivant, en un buisson ardent de plumes et de sang.

Dorméus saisit le coq et l'agita en éventail au-dessus des sacrifiants.

(1) Cri de jubilation religieuse.

Mérilia et Clairemise chancelèrent, en frissonnant, le visage ravagé. Elles dansaient maintenant, en se débattant de l'épaule, dans l'étreinte forcenée des loa qui les possédaient en chair et en esprit.

Santa Maria Gratia.

Les habitants entonnèrent l'action de grâces, car c'était le signe visible que Legba acceptait le sacrifice.

D'une torsion violente, Dorméus arracha la tête du coq et en présenta le corps aux quatre directions cardinales.

Abobo

hululèrent les hounsi.

Le houngan refit le même geste d'orientation et laissa tomber trois gouttes de sang par terre.

Saignez, saignez, saignez

chantèrent les habitants.

Pendant tout ce temps, Délira se tenait agenouillée à côté de Bienaimé, les mains jointes à la hauteur du visage. Elle cherchait Manuel des yeux, mais lui, à ce moment-là, buvait dans la case un verre de clairin avec Laurélien et Lhérisson Celhomme.

— Ah, c'est qu'il faut servir les vieux de Guinée, oui, disait Laurélien.

— Notre vie est entre leurs mains, répondit Lhérisson.

Manuel vida son verre. Le martellement rauque des tambours soutenait l'exaltation du chant.

— *Vamos* (1), allons voir ce qui se passe, fit-il.

Le sang du coq s'égouttait, élargissant un cercle rouge sur le sol.

Le houngan, les hounsi, Délira et Bienaimé y trempèrent un doigt et tracèrent sur leur front le signe de la croix.

— Je t'ai cherché de tous côtés, dit la vieille avec un reproche dans la voix.

Il l'entendit à peine : dans un tourbillon frénétique, les hounsi dansaient en chantant autour de l'animal sacrifié et au passage lui arrachaient les plumes par poignées jusqu'à l'avoir entièrement dépouillé.

Antoine reçut la victime des mains du houngan. Ce n'était plus le Simidor hilare, hérissé de malice comme un cactus de piquants : cérémonieux et pénétré de son importance, il représentait maintenant Legba-aux-vieux-os, chargé de cuire, sans ail ni graisse de porc, ce qui n'était plus un coq ordinaire, mais le *Koklo* du loa, revêtu de ce nom rituel et de la sainteté que lui conférait son meurtre sacré.

— Fais attention, compère, dit-il à un habitant qui le bousculait.

Il se tut, aussitôt, terrifié.

Car ce n'était plus Duperval Jean Louis, cet homme qui bondissait sauvagement, la face convulsée, c'était Ogoun, le loa redoutable, dieu des forgerons et des hommes de sang et il criait d'une voix de tonnerre :

— C'est moi, c'est moi, c'est moi Nègre Olicha Baguita Wanguita.

Dorméus s'approcha de lui, brandissant son

(1) Allons.

asson. Parcouru de grands tremblements le possédé aboyait :

— C'est moi, c'est moi, c'est moi Nègre Batala, Nègre Ashadé Bôkô.

Entre les mains du houngan, l'*asson* bruissait avec une sèche autorité :

— Papa Ogoun, dit Dorméus, ne sois pas contrariant : ce service n'est pas pour toi, sauf ton respect. Un jour vient, un jour s'en va : ce sera ton tour une autre fois. Laisse-nous continuer cette cérémonie.

Le possédé écumait, titubant violemment de droite, de gauche, refoulant autour de lui le cercle des habitants.

— Ne sois pas insistant, continuait Dorméus, mais avec moins d'assurance déjà, parce qu'il n'y avait rien à faire. Ogoun s'entêtait, il ne s'en irait pas, il réclamait sa part d'hommage et le La Place lui présenta son sabre qu'il baisa et les hounsi lui nouèrent un mouchoir rouge autour de la tête, lui en attachèrent d'autres aux bras et Dorméus dessina sur le sol un *vêvê* pour permettre au loa de faire son entrée. On lui apporta une chaise et il s'assit, une bouteille de rhum et il but à larges traits, un cigare et il se mit à fumer.

— Ha, dit-il, ce Manuel est retourné. Où est-il ce Manuel ?

— Je suis là, oui, fit Manuel.

— Réponds-moi ; oui, papa.

— Oui, papa.

— On dirait que tu es impertinent, pas vrai ?

— Non.

— Réponds-moi : non, papa.

— Non, papa.

Le possédé, d'un bond, se leva, repoussa brutalement les hounsi et se mit à danser en chantant :

> *Bolada Kimalada, o Kimalada*
> *N'a fouillé canal la, ago*
> *N'a fouillé canal la, mouin dis : ago yé*
> *Veine l'ouvri, sang couri*
> *Veine l'ouvri, sang coulé, ho*
> *Bolada Kimalada, o Kimalada* (1).

Il se balançait d'avant en arrière, dans une danse Nago, seul, au milieu des habitants troublés, puis il ralentit par soubresauts, soufflant encore, tremblant toujours, mais plus faiblement, car le loa s'en allait, et sous le masque guerrier d'Ogoun, réapparaissait lentement le visage hébété de Duperval. Encore quelques pas incertains, encore quelques saccades spasmodiques de la tête et Duperval s'écroula : le loa était parti. Manuel aidé de Dieuveille Riché releva l'homme et le transporta à l'écart. Il était pesant et insensible comme un tronc d'arbre.

— Bienaimé, dit Délira, Bienaimé, mon homme. Je n'aime pas ce que Papa Ogoun a chanté, non. Mon cœur est devenu lourd. Je ne sais pas ce qui m'arrive.

Mais Dorméus continuait le service de Legba par la cérémonie de *l'asogwê*. Bienaimé, Délira et Manuel joignirent leurs mains autour de la macoute et la présentèrent successivement aux quatre points cardinaux. Le houngan planta les

---

(1) Bolada Kimalada, o Kimalada — Vous fouillerez le canal, prenez garde — Vous fouillerez le canal, je dis : prenez garde — La veine est ouverte, le sang court — O la veine est ouverte, le sang coule — Bolada Kimalada, o Kimalada.

plumes du coq autour du poteau, traça un nouveau *vêvê*, alluma une bougie en son centre.

Les drapeaux ondoyèrent, l'appel sourd du
tambour retentit, précipitant le chant dans un
nouvel élan, les voix des femmes fusèrent très
haut, fêlant l'épaisse masse chorale :

. . . .

Legba-si, Legba saigné, saigné
Abobo
Vaillant Legba
Les sept Legba Kataroulo
Vaillant Legba
Alegba-sé, c'est nous deux
Ago yé.

Manuel s'abandonnait au ressac de la danse,
mais une singulière tristesse se glissait en son
esprit. Il rencontra le regard de sa mère et il
lui sembla y voir briller des larmes.

Le sacrifice de Legba était terminé ; le Maître
des chemins avait regagné sa Guinée natale par
les voies mystérieuses où marchent les loa.

Cependant la fête se poursuivait. Les habitants
oubliaient leur misère : la danse et l'alcool les
anesthésiaient, entraînaient et noyaient leur
conscience naufragée dans ces régions irréelles
et louches où les guettait la déraison farouche
des dieux africains.

Et lorsque vint l'aube, les tambours battaient
encore sur l'insomnie de la plaine comme un
cœur inépuisable.

V

La vie recommençait, mais elle ne changeait pas : elle suivait le même parcours, le même sillon, avec une indifférence cruelle. On était debout dès l'avant-jour : par les craquelures du ciel obscur passaient et se répandaient les premières et confuses clartés. Plus tard, la ligne du morne se dessinait, frangée d'une pâle lumière. Aussitôt que le soleil touchait le bois, assez pour éclairer à travers les bayahondes les sentiers entrecroisés, Manuel partait. Il abattait les arbres, dressait dans la clairière la meule sous laquelle le bois brûlerait à feu lent. Puis, il prenait le chemin du morne. Il revenait de sa course, trempé de sueur et les mains pleines de terre. Délira lui demandait où il avait été. Il répondait avec des mots qui prenaient le détour. Il avait ce pli têtu au coin de la bouche.

Chaque samedi, Délira chargeait le charbon sur deux bourriques et s'en allait à la ville. Elle revenait à la nuit tombée, avec quelques misérables provisions et un peu de monnaie. Elle s'asseyait dans la case, toute cassée, sous le poids d'une immense fatigue. Bienaimé réclamait son tabac et ne le trouvait jamais assez fort.

Parfois la vieille contait ses déboires. Les inspecteurs des marchés, postés aux abords de la ville, s'abattaient sur les paysannes et les volaient sans pitié.

— Il vient et il me demande de payer. Je lui montre que j'avais déjà payé. Il se met en colère et commence à jurer. Regarde, si tu n'as pas honte, je lui dis, regarde mes cheveux blancs. Tu n'as donc pas de maman pour me traiter comme ça ? Ferme ta gueule, il crie — voilà ce qu'il crie, ou bien je te traîne en prison pour rébellion et scandale public. J'ai été obligée de lui donner l'argent. Non, il n'y a pas de considération pour nous autres malheureux.

Manuel serrait les poings à les faire craquer.

— Le bandit, le nègre sans aveu, grondait Bienaimé.

Un moment plus tard, il disait :

— Va dormir, ma vieille femme. Tes yeux se ferment. Tu as fait une longue route.

Délira déroulait sa natte, l'étendait sur le sol. Malgré les protestations de Manuel, elle exigeait qu'il occupât, dans l'autre pièce, le lit d'acajou.

... Quelquefois, Antoine venait dans le courant de la journée.

Il s'accroupissait auprès de Bienaimé.

— Ah, simidor, simidor, disait le vieux, quelle est cette misère ?

Le Simidor secouait la tête.

— Ça ne s'est jamais vu.

Et il ajoutait d'une voix étouffée, regardant tristement les champs brûlés :

— Ne m'appelle pas simidor. Appelle-moi Antoine : c'est mon nom. Vois-tu, compère, quand tu dis : simidor, ça me fait songer au temps longtemps. C'est amer ces souvenanceslà, c'est amer comme le fiel.

... Les après-midi, Manuel tressait sur la galerie des chapeaux de paille de latanier. On les vendrait bien trente centimes pièce au bourg voisin. La cérémonie vodou avait dévoré le peu d'argent qu'il avait rapporté de Cuba. Dorméus à lui seul avait coûté quarante piastres.

Souvent, Laurélien venait le voir. Il s'asseyait sur le banc ; ses grandes mains tordues faites pour manier la houe reposaient sur ses genoux ; il disait à voix basse :

— Et cette eau ?

— Pas encore, pas encore, répondait Manuel. Mais je suis sur sa trace.

Ses doigts habiles allaient et venaient tandis que ses pensées voyageaient vers Annaïse. A plusieurs reprises, il l'avait aperçue dans le village. Chaque fois, elle s'était détournée ; elle s'était éloignée de ce long pas nonchalant et balancé.

Laurélien demandait à nouveau :

— Parle-moi de Cuba.

— C'est un pays, cinq fois, non dix, non vingt fois peut-être plus grand qu'Haïti. Mais, tu sais, moi je suis fait avec ça, moi-même.

Il touchait le sol, il en caressait le grain :

— Je suis ça : cette terre-là, et je l'ai dans le sang. Regarde ma couleur : on dirait que la terre a déteint sur moi et sur toi aussi. Ce pays est le partage des hommes noirs et toutes les fois qu'on a essayé de nous l'enlever, nous avons sarclé l'injustice à coups de machette.

— Oui, mais à Cuba, il y a plus de richesse, on vit plus à l'aise. Icitte, il faut se gourmer dur avec l'existence et à quoi ça sert ? On n'a même pas de quoi remplir son ventre et on est

sans droit contre la malfaisance des autorités.
Le juge de paix, la police rurale, les arpenteurs,
les spéculateurs en denrées, ils vivent sur nous
comme des puces. J'ai passé un mois de prison,
avec toute la bande des voleurs et des assassins,
parce que j'étais descendu en ville sans souliers.
Et où est-ce que j'aurais pris l'argent, je te
demande, mon compère ? Alors qu'est-ce que
nous sommes, nous autres, les habitants, les
nègres-pieds-à-terre, méprisés et maltraités ?

— Ce que nous sommes ? Si c'est une question,
je vais te répondre : eh bien, nous sommes ce
pays et il n'est rien sans nous, rien du tout. Qui
est-ce qui plante, qui est-ce qui arrose, qui est-ce
qui récolte ? Le café, le coton, le riz, la canne,
le cacao, le maïs, les bananes, les vivres et tous
les fruits, si ce n'est pas nous, qui les fera
pousser ? Et avec ça nous sommes pauvres, c'est
vrai, nous sommes malheureux, c'est vrai, nous
sommes misérables, c'est vrai. Mais sais-tu pourquoi, frère ? A cause de notre ignorance : nous
ne savons pas encore que nous sommes une
force, une seule force : tous les habitants, tous
les nègres des plaines et des mornes réunis. Un
jour, quand nous aurons compris cette vérité,
nous nous lèverons d'un point à l'autre du pays
et nous ferons l'assemblée générale des gouver-
neurs de la rosée, le grand coumbite des travailleurs de la terre pour défricher la misère et
planter la vie nouvelle.

— Tu dis des paroles conséquentes, oui, fit
Laurélien.

Il s'était comme essoufflé à suivre Manuel.
Une ride marquait sur son front l'effort de la
méditation. Dans le retrait le plus inarticulé de
son esprit accoutumé à la lenteur et à la patience,

là où les idées de résignation et de soumission
s'étaient formées avec une rigidité tradition-
nelle et fatale, un rideau le lumière commençait à se lever. Il éclairait un espoir soudain,
obscur encore et lointain, mais rude, certain et
véridique comme la fraternité.

Il cracha un jet de salive entre les dents.

— Ce que tu dis là est clair comme l'eau
courante au soleil.

Il était debout et ses mains se fermaient
comme pour essayer de retenir le fuyant des
mots.

— Tu t'en vas déjà ?

— Oui, je ne faisais que passer avant d'aller
voir après les bêtes. Je vais songer à tes paroles ;
elles ont bon poids ; quant à ça, oui. Alors
adieu, chef.

— Pourquoi m'appelles-tu : chef ? fit Manuel
étonné.

Laurélien baissa la tête, réfléchit :

— Je ne sais pas moi-même, dit-il.

Il s'en alla de son pas tranquille et solide et
Manuel le suivit du regard jusqu'à l'endroit où
il disparut entre les arbres.

Un seul rayonnement aveuglant embrasait la
surface du ciel et de la terre. La plainte roucoulée
d'une tourterelle se faisait entendre. On ne
savait d'où elle venait. Elle roulait eu sein du
silence avec des notes oppressées. Le vent s'était
apaisé, les champs étaient couchés à plat sous
le poids du soleil, avec leur terre assoiffée, leurs
plantes affaissées et rouillées. Sur une butte
lointaine dominant l'étendue embrouillée des
bayahondes, les feuilles des lataniers pendaient,
inertes, comme des ailes cassées.

Devant chaque case, à l'ombre des quelques

arbres que la sécheresse avait épargnés, les
habitants contemplaient leur malheur. Des que-
relles explosaient sans motif visible, le bavardage des femmes s'aigrissait, tournait aisément
à la dispute. Les enfants se tenaient à l'écart
des taloches, mais la prudence, ça ne leur servait
à rien. On entendait une voix irritée qui criait :

— Philogène, ho ? *Mussieu* Philogène, tu n'entends pas que je t'appelle ?

Et l'autre s'approchait, la mort dans l'âme,
et recevait son affaire en pleine calebasse, que
ça sonnait.

C'est que les choses prenaient mauvais visage,
la faim se faisait sentir pour tout de bon, le prix
du gros-bleu montait en ville, alors on avait beau
raccommoder le linge, il y en avait dont le derrière, sauf votre respect, paraissait par les bâil-
lements du pantalon comme un quartier de lune
noire dans les déchirures d'un nuage, ce qui
n'était pas honorable, non, on ne pouvait pas le
prétendre.

Le dimanche à la gaguière, le clairin à la
cannelle, au citron ou à l'anis, montait vite à la
tête des habitants, surtout des perdants, et il y
eut des cas où les bâtons se mirent de la partie ;
grâce à Dieu, ça n'allait pas plus loin, pas jusqu'à la machette, heureusement et quelques
jours plus tard on se réconciliait, mais ce n'était
pas tellement sûr qu'on ne gardait pas au fond
de soi un restant de rancune tenace...

— Manuel, dit Bienaimé, si tu allais voir où
est passée la génisse peintelée (1), si tu allais te
rendre compte ?

_____

(1) Tachée de blanc.

Manuel laissa son travail, décrocha la corde qui pendait à un clou, en éprouva la résistance.

— Amarre-la à un piquet, mais avec une bonne longueur pour qu'elle ne s'empêtre pas.

— Pourquoi n'attends-tu pas qu'elle ait grandi ? fit Délira. Qu'elle ait mis bas un veau que nous vendrons plus tard à sa place ?

— Et de quoi vivrons-nous d'ici là ? Nous aurons le temps de manger nos propres dents jusqu'à la gencive, répliqua le vieux.

Comme les clôtures des jardins la côtoyaient et que le grillage du bois la fermait au couchant, la savane servait de barré au bétail. Les habitants tiraient des vaches un peu de lait de méchante qualité. Mais, à l'ordinaire, les bêtes vivaient dans une liberté sauvage et on ne les capturait que pour les marquer au fer rouge ou les vendre au marché de Pont-Beudet quand le besoin se faisait pressant d'avoir quelques piastres sous la main.

Une espèce de graminée courte et sèche poussait là par petites touffes comme le mauvais poil des verrues et, sauf sous l'ombrelle de rares campêchers, le soleil y exerçait son domaine sans limite. « Avec l'arrosage, je vois ça tout gras d'herbe de Guinée », pensait Manuel.

Il aperçut la génisse : elle se détachait dans la savane avec son pelage tacheté de roux et de blanc. Il fit un crochet pour la prendre par le plus court, lui couper la retraite et la pousser contre l'entourage de cactus-chandeliers qui bordait le champ de Saint-Julien.

Elle se rendit compte de la manœuvre et commença à trotter vers le large. Manuel se précipita à grandes enjambées et en pleine course la lassa. Elle l'entraîna, mais il s'arcqueboutait ferme, tirant sur la corde par saccades, l'apaisant impérieusement de la voix :

— Hoh, turbulente, hoh, brigande, hoh, ma belle vache, hoh.

Il réussit à jeter le bout de la corde autour d'une souche. La génisse se débattit, donnant de la corne de tous côtés, mais à la fin, elle dut se tenir pour vaincue. Manuel attendit un moment, puis il la mena vers un campêcher et l'attacha à son ombre. « Tu vas changer de maître, dit-il, lui flattant le museau. Tu vas quitter la grande savane. C'est comme ça, la vie, que veux-tu. »

La génisse le regarda de ses larges yeux larmoyants et mugit. Manuel lui caressa l'échine et les flancs du plat de la main. « Tu n'es pas trop grasse, on dirait : on n'a qu'à te tâter pour sentir les os ; tu ne feras pas bon prix, non, certain que non. »

Le soleil maintenant glissait sur la pente du ciel qui, sous la vapeur délayée et transparente des nuages, prenait la couleur de l'indigo dans l'eau savonneuse. Mais là-bas, au-dessus du bois, une haute barrière flamboyante lançait des flèches de soufre dans le saignant du couchant.

Manuel retourna à la grand-route et traversa le village. Les cases s'alignaient au hasard des cours, dans le désordre des sentiers. Quelque chose de plus que les arbres, les jardins, les haies, les séparait. Une colère sourde et contenue, qu'une étincelle ferait éclater en violences et que la misère exacerbait, donnait à chaque habitant pour son voisin, cette bouche cousue, ce regard évasif, cette main toujours prête.

On aurait dit que le passé n'était pas enterré depuis des années avec Dorisca et Sauveur. Ils le rafraîchissaient sans cesse comme on avive de l'ongle une plaie mal fermée.

Les femmes étaient les plus enragées : elles étaient véritablement déchaînées. C'est qu'elles étaient les premières à savoir qu'il n'y avait rien à mettre sur le feu, que les enfants pleuraient de faim, qu'ils dépérissaient, les membres grêles et noueux comme du bois sec, le ventre énorme. Elles en avaient parfois la tête dérangée et elles s'injuriaient, à l'occasion, avec des mots que ça n'est pas permis. Mais les injures des femmes ne tirent pas à conséquence, ce n'est que du bruit fait avec du vent. Ce qui était plus grave, c'était le silence des hommes.

Manuel pensait à tout ça, en marchant dans le village. Il y en avait qu'il saluait : Adieu, frère, disait-il ; oh, adieu, Manuel, disait l'autre. Et le courage ? faisait Manuel. Nous nous battons avec la vie, faisait l'autre. Mais certains se détournaient quand il passait ou bien regardaient tout drète à travers lui comme s'il avait été de fumée.

Pourtant, il les connaissait bien. N'étaient-ce pas là Pierrilis, Similien, Mauléon, Ismaël, Teïr-monfis, Josaphat ? Il avait grandi avec eux au milieu de ces bois, partagé leurs jeux, tendu dans la savane des pièges aux ortolans, chapardé ensemble des épis de maïs. Plus tard ils avaient mêlé dans les coumbites leurs voix et leurs forces de jeunes nègres fringants. Ah, comme ils avaient, jadis, nettoyé et propreté ce jardin de frère Mirville, même que ce jour-là ils avaient bu un peu trop de clairin, mais oui, il se souvenait, et de tout, il n'avait rien oublié.

L'envie le prenait de s'avancer et de dire : Ho, cousins, ne me reconnaissez-vous pas, c'est

moi, Manuel, Manuel Jean-Joseph lui même et
pas un autre.

Mais leurs faces étaient comme des murailles,
noires et sans lumière.

Non, il n'y avait ni justice ni raison dans
cette histoire. Il fallait laisser les morts reposer
dans la paix du cimetière sous les frangipaniers.
Ils n'avaient rien à faire dans l'existence des
vivants, ces revenants de plein grand jour, ces
fantômes sanglants et obstinés.

Et puis, s'il trouvait l'eau, le concours de tous
serait nécessaire. Ce ne serait pas une petite
affaire que de l'amener jusqu'à la plaine. Il
faudrait organiser un grand coumbite de tous
les habitants et l'eau les unirait à nouveau, son
haleine fraîche disperserait l'odeur maligne de
la rancune et de la haine ; la communauté fra-
ternelle renaîtrait avec les plantes nouvelles, les
champs chargés de fruits et d'épis, la terre
gorgée de vie simple et féconde.

Oui, il irait les trouver et leur parlerait :
ils avaient de l'entendement, ils comprendraient.

Devant sa porte, Hilarion, l'officier de Police
rurale, jouait au trois-sept avec son adjoint.

Il loucha de ses cartes vers Manuel.

— Salut, fit-il ; j'avais justement besoin de
toi ; reste un moment, j'ai quelque chose à te
dire.

Et à son adversaire :

— Dix de carreau ; baille-moi ton as.

— Je n'ai pas d'as.

— Baille-moi cet as, cria Hilarion menacant.

L'adjoint déposa l'as.

— Tricheur, impertinent que vous êtes, triom-
pha Hilarion.

Il ramassa les cartes en un paquet dans le creux de sa main et se tourna vers Manuel.

— Comme quoi, tu causes aux habitants, n'est-ce pas ?

Manuel attendait.

— Tu causes toutes sortes de paroles, il paraît.

Un éclair de malveillance passa dans ses yeux plissés :

— Eh bien, elles ne sont pas du goût des autorités, ce sont des paroles de rébellion.

Il déplia ses cartes en éventail :

— Tu ne diras pas que je ne t'ai pas prévenu.

Manuel sourit :

— C'est tout ?

— C'est tout, répondit Hilarion, la tête dans ses cartes. Dix de trèfle, neuf de trèfle, baille-moi ton as.

— Mais je n'ai pas d'as, gémit l'autre, désespéré.

— Baille-moi cet as, tout de suite.

L'adjoint déposa l'as de trèfle.

— Ah, macaque, jubila Hilarion, tu te croyais de force à jouer avec Hilarion Hilaire, Ça t'apprendra, coquin.

Son gros rire s'enflait encore tandis que Manuel s'éloignait. Il n'était pas inquiet. Souvent, il avait parlé à Laurélien. Saint-Julien, Riché et aux autres. Sûr, qu'ils n'avaient pas rapporté, mais seulement discuté et répété ses paroles et elles étaient arrivées aux oreilles poilues de cet Hilarion comme une mouche se prend dans une toile d'araignée. C'était bon signe, au fond, ça se répandait.

Les enfants suivaient sa haute taille avec des regards fascinés. Pour eux, il était l'homme qui avait traversé la mer, qui avait vécu dans ce

pays étrange de Cuba ; il était auréolé de mystères et de légendes.

Manuel en attrapa un par le bras ; c'était un
petit nègre tout noir, les yeux ronds et polis
comme des billes. Il lui caressa le crâne rasé au
cul de bouteille :

— Comment est ton nom ?

— Monpremier, oui.

Mais une voix de femme héla, hargneusement:

— Monpremier, viens icitte.

Le gamin partit en vitesse vers la case ; dans
sa précipitation ses talons martelaient ses fesses
nues.

Manuel s'en alla, le cœur mal à l'aise. Il laissa
derrière lui les dernières cases. Les chardons
dorés couvraient de leurs soleils minuscules les
talus du chemin. Un reflet de la lumière oblique
traînait sur la plaine, mais l'ombre se nichait
déjà dans les arbres et des taches mauves s'étendaient sur les flancs des collines. Ce qui dans la
lumière avait été âpre et hostile s'apaisait et se
réconciliait avec la fin du jour.

Dans le prolongement de la route, il la vit
venir. Il la reconnut aussitôt à sa robe sombre,
à son madras blanc et parce qu'elle était grande,
qu'elle seule avait ce jet pur et souple des jambes, cet oscillement des hanches dans la douceur
et parce qu'il l'attendait.

Il marcha lentement vers elle.

— Je te dis bonsoir, oui, Annaïse.

Quelques pas les séparaient.

— Ote-toi de mon chemin.

Elle respirait fort : sa poitrine se soulevait.

— Raconte-moi ce que je t'ai fait et pourquoi
nous sommes ennemis.

Elle lui dérobait son visage :

— Je n'ai pas à te bailler d'explications. Je suis pressée ; laisse-moi passer.

— Réponds-moi d'abord. Je ne veux pas te faire des violences, Annaïse. J'ai de la bonne amitié pour toi. Crois-moi, en vérité.

Elle soupira:

— Ay, mes amis, en voilà un homme entêté. On dirait qu'il n'a pas d'oreilles pour entendre. Je te dis de me laisser continuer mon chemin, oui.

On voyait qu'elle faisait un effort pour l'impatience et le mécontentement.

— Je t'ai cherchée tout partout, mais tu te cachais comme si j'étais le loup-garou lui-même. Je voulais te parler, parce que je sais que tu peux m'aider.

— Moi t'aider et comment ça ? fit-elle surprise.

Pour la première fois, elle le regarda et Manuel vit qu'il n'y avait pas de colère dans ses yeux mais seulement une grande tristesse.

— Je te dirais si tu veux m'écouter.

— Les gens vont nous voir, murmura-t-elle, faiblement.

— Personne ne viendra et même si... Est-ce que tu n'es pas fatiguée, Annaïse, de toute cette haine qu'il y a, à l'heure qu'il est, entre nous ?

— On a assez de peine comme ça avec l'existence, c'est vrai, ah, ce que l'existence est devenue difficile, Manuel.

Elle se reprit très vite :

— Laisse-moi, laisse-moi partir, pour la grâce de Dieu.

— Alors, tu n'avais pas oublié mon nom ?

Elle répondit d'une voix éteinte :

— T'en prie, ne me tourmente pas.

Il lui prit la main. Elle voulut la lui retirer, mais elle était sans force.

— Tu es une bonne travailleuse, on dirait.

— Oui, dit-elle avec fierté, mes mains sont usées.

— J'ai à faire un grand causer avec toi, tu sais.

— On n'aura pas le temps ; la nuit vient ; regarde.

Le chemin s'effaçait, les arbres noircissaient et se fondaient dans l'ombre. Le ciel n'avait plus qu'une lueur hésitante, assombrie et lointaine. Seul, au plus bas de l'horizon, un nuage rouge et noir se dissolvait dans le vertige du crépuscule.

— Est-ce que tu as peur de moi, Annaise ?

— Je ne sais pas, fit-elle dans un souffle oppressé.

— Demain, vers le tard de l'après-midi, quand le soleil sera au pied du morne, je t'attendrai sur la butte des lataniers. Est-ce que tu viendras ?

— Non, non.

Sa voix était basse et effrayée.

— Anna, dit-il.

Il sentit sa main trembler dans la sienne.

— Tu viendras, n'est-ce pas, Anna ?

— Ah, tu me tourmentes, et c'est comme si j'avais perdu mon bon ange, pourquoi me tourmentes-tu, Manuel ?

Il vit ses yeux pleins de larmes, et entre ses lèvres qui suppliaient, l'éclat humide de ses dents.

Il lâcha sa main.

— Voici la nuit, Anna, va en paix, va reposer, ma négresse.

Elle n'était déjà plus là, ses pieds nus, en s'en allant, ne faisaient pas de bruit.

Il dit encore :

— Je vais t'espérer, Anna.

VI

Sous les lataniers, il y avait un semblant de fraîcheur ; un soupir de vent à peine exhalé glissait sur les feuilles dans un long murmure froissé et un peu de lumière argentée les lissait avec un léger frémissement, comme une chevelure dénouée.

Sur la route, les paysannes conduisaient leurs ânes fatigués. Elles les encourageaient de la voix et l'écho affaibli de leurs cris monotones parvenait jusqu'à Manuel. Il les perdait de vue au gré d'un rideau de bayahondes, mais elles reparaissaient plus loin : c'était jour de marché et elles s'en revenaient, ayant encore un long trajet devant elles avant le coucher du soleil. A cette distance, il ne pouvait les reconnaître, mais il savait que c'était les commères de son propre village : Fonds-Rouge ; de Ravine Sèche qui se trouvait plus loin dans le renfoncement du Morne Crochu, et des habitations des plateaux de Bellevue, Mahotière et Boucan Corail.

Elles allaient en file presque ininterrompue, dans la poussière soulevée, et parfois l'une d'elles courait après sa bête qui s'écartait et la rabattait dans le rang, à grand renfort de malédictions et de coups de fouet.

Séparée des autres, venait une paysanne
montée sur un cheval alezan. Le sang de Manuel
bondit vers son cœur avec des pulsations précipitées et brûlantes. Elle s'arrêta, tourna plusieurs fois la tête en arrière et s'engagea dans
un sentier de traverse. « Elle prend le chemin
de la ravine, elle arrivera dans le détour de la
butte. » Il prêta l'oreille et perçut le bruit des
sabots sur les galets. C'était un claquement
hésitant qui s'étouffait en un piétinement plus
rapide quand le cheval trouvait le sable. Le
terrain inclinait ses broussailles rabougries vers
la ravine. « C'est par là qu'elle passera, entre
ces bois d'orme ; je sortirai et elle me verra. »
Il entendait maintenant le choc et le ricochet
sec, sur les galets, des pierres qui dévalaient la
pente. Elle émergea du sentier resserré. Le
cheval allongeait le cou et renâclait avec effort.
Elle portait une robe d'indienne à fleurs et un
grand chapeau de paille retenu par une men-
tonnière. *Huïe !* disait-elle, encourageant sa bête
du talon : *huïe !*

Manuel quitta sa retraite et elle l'aperçut.
Elle s'arrêta et d'un mouvement vif des reins
sauta à bas de sa monture.

L'alezan écumait, ses flancs haletaient, on
voyait qu'Annaïse l'avait poussé à une bonne
allure malgré les roches et la montée. Elle le
mena par la bride et l'attacha à la fourche d'un
arbre.

Elle s'avança vers lui de son pas égal et agile,
sa gorge était haute et pleine et sous le déploie-
ment de sa robe, la noble avancée des jambes
déplaçait le dessin épanoui de son jeune corps.

Elle fit une révérence devant lui.

— Je te salue, Manuel.

— Je te salue, Anna.

Elle toucha sa main tendue du bout de ses doigts. Sous l'ombrage de son chapeau un madras de soie bleue serrait son front. Des anneaux d'argent brillaient à ses oreilles.

— Alors, tu es venue.

— Je suis venue, tu vois, mais je n'aurais pas dû.

Elle baissa la tête et détourna le visage.

— Toute la nuit j'ai lutté, toute la nuit j'ai dit : non, mais au matin je me suis habillée au chant du coq et j'ai été au bourg pour avoir une raison de sortir.

— Et tu as eu bonne vente, au marché ?

— Ah, Dieu, non, frère. Quelques mesures de maïs, c'est tout.

Elle resta un moment silencieuse, puis :

— Manuel, ho ?

— Je t'écoute, oui, Anna.

— Je suis une négresse sérieuse, tu sais. Aucun garçon ne m'a jamais touchée. Je suis venue parce que je suis sûre que tu ne seras pas abusant.

Et s'interrogeant elle-même, rêveusement :

— Pourquoi que j'ai confiance en toi, pourquoi que j'écoute tes paroles ?

— La confiance, c'est presque un mystère. Ça ne s'achète pas et ça n'a pas de prix ; tu ne peux pas dire : vends m'en pour tant. C'est comme qui dirait une complicité de cœur à cœur : ça vient tout naturel et tout vrai, avec un regard peut-être et le son de la voix, ça suffit pour savoir la vérité ou la menterie. Depuis le premier jour, tu m'entends, Anna, depuis le premier jour j'ai vu que tu n'avais pas de fausseté, que tout était clair en toi et propre comme une source, comme la lumière de tes yeux.

— Ne commence pas avec les galanteries, ca ne sert à rien et ce n'est pas nécessaire. Moi aussi, après notre rencontre sur la route, je me disais en moi-même : il n'est pas comme les autres et il a l'air bien sincère, mais quels mots il parle, Jésus Marie Joseph, c'est trop savant pour l'entendement d'une malheureuse comme moi.

— Ne commence pas avec les compliments, ça ne sert à rien et ce n'est pas nécessaire.

Ils rirent tous deux. Le rire d'Annaïse roulait dans sa gorge renversée et ses dents se mouillaient d'une blancheur éclatante.

— Tu ris comme la tourterelle, dit Manuel.

— Et je vais m'envoler comme elle, si tu continues tes flatteries.

Son visage noir s'éclairait d'un beau sourire.

— Est-ce que tu ne veux pas t'asseoir ? Icitte, tu ne saliras pas ta robe.

Elle s'assit à côté de lui, appuyée au tronc d'un latanier, sa robe étalée autour d'elle, et elle joignit les mains sur ses genoux.

La plaine se déroulait devant eux, cernée par les collines. D'ici, ils voyaient l'entremêlement des bayahondes, les cases distribuées dans leurs clairières, les champs abandonnés aux ravages de la sécheresse et dans la réverbération de la savane, le mouvement dispersé du bétail. Sur cette désolation planait le vol des corbeaux. Ils reprenaient les mêmes circuits, se perchaient sur les cactus et, alertés par on ne sait quoi, écorchaient le silence de leur coassement grinçant.

— Quel est ce grand causer que tu avais à me faire, et comment, moi Annaïse, je voudrais bien savoir, je pourrais aider un homme comme toi ?

Manuel resta un moment sans répondre. Il regardait devant lui avec cette expression tendue et lointaine.

— Tu vois la couleur de la plaine, dit-il, on dirait de la paille dans la bouche d'un four tout flambant. La récolte a péri, il n'y a plus d'espoir. Comment vivez-vous ? Ce serait un miracle si vous viviez, mais c'est mourir que vous mourrez lentement. Et qu'est-ce que vous avez fait contre ? Une seule chose : crier votre misère aux loa, offrir des cérémonies pour qu'ils fassent tomber la pluie. Mais tout ça, c'est des bêtises et des macaqueries. Ça ne compte pas, c'est inutile et c'est un gaspillage.

— Alors qu'est-ce qui compte, Manuel ? Et tu n'as pas peur de dérespecter les vieux de Guinée?

— Non, j'ai de la considération pour les coutumes des anciens, mais le sang d'un coq ou d'un cabri ne peut faire virer les saisons, changer la course des nuages et les gonfler d'eau comme des vessies. L'autre nuit, à ce service de Legba, j'ai dansé et j'ai chanté mon plein contentement : je suis nègre, pas vrai ? et j'ai pris mon plaisir en tant que nègre véridique. Quand les tambours battent, ça me répond au creux de l'estomac, je sens une démangeaison dans mes reins et un courant dans mes jambes, il faut que j'entre dans la ronde. Mais c'est tout.

— C'est dans ce pays de Cuba que tu as pris ces idées-là ?

— L'expérience est le bâton des aveugles et j'ai appris que ce qui compte, puisque tu me le demandes, c'est la rébellion, et la connaissance que l'homme est le boulanger de la vie.

— Ah, nous autres, c'est la vie qui nous pétrit.

— Parce que vous êtes une pâte résignée, voilà ce que vous êtes.

— Mais qu'est-ce qu'on peut faire, est-ce qu'on n'est pas sans recours et sans remèdes devant le malheur? C'est la fatalité, que veux-tu.

— Non, tant qu'on n'est pas ébranché de ses bras et qu'on a le vouloir de lutter contre l'adversité. Que dirais-tu, Anna, si la plaine se peinturait à neuf, si dans la savane, l'herbe de Guinée montait haute comme une rivière en crue ?

— Je dirais merci pour la consolation.

— Que dirais-tu si le maïs poussait dans la fraîcheur ?

— Je dirais merci pour la bénédiction.

— Est-ce que tu vois les grappes du petit-mil, et les merles pillards qu'il faut chasser ? Tu vois les épis ?

Elle ferma les yeux :

— Oui, je vois.

— Est-ce que tu vois les bananiers penchés à cause du poids des régimes ?

— Oui.

— Est-ce que tu vois les vivres et les fruits mûrs ?

— Oui, oui.

— Tu vois la richesse ?

Elle ouvrit les yeux.

— Tu m'as fait rêver. Je vois la pauvreté.

— C'est pourtant ce qui serait, s'il y avait quoi, Anna ?

— La pluie, mais pas seulement une petite farinade : de grandes, de grosses pluies persistantes.

— Ou bien l'arrosage, n'est-ce pas ?

— Mais la source Fanchon est à sec et la
source Lauriers aussi.

— Suppose, Anna, suppose que je découvre
l'eau, suppose que je l'amène dans la plaine.

Elle leva sur lui un regard ébloui :

— Tu ferais cela, Manuel ?

Elle s'attachait à chacun de ses traits avec
une intensité extraordinaire, comme si, lentement, il lui était révélé, comme si pour la première fois, elle le reconnaissait.

Elle dit d'une voix assourdie par l'émotion :

— Oui, tu le feras. Tu es le nègre qui trou-
vera l'eau, tu seras le maître des sources, tu
marcheras dans ta rosée et au milieu de tes
plantes. Je sens ta force et ta vérité.

— Pas moi seulement, Anna. Tous les habitants auront leur part, tous jouiront de la bien-
faisance de l'eau.

Elle laissa aller ses bras avec découragement.

— Ay, Manuel, ay, frère, toute la journée ils
affilent leurs dents avec des menaces ; l'un dé-
teste l'autre, la famille est désaccordée, les amis
d'hier sont les ennemis d'aujourd'hui et ils ont
pris deux cadavres pour drapeaux et il y a du
sang sur ces morts et le sang n'est pas encore
sec.

— Je sais, Anna, mais écoute-moi bien : ce
sera un gros travail de conduire l'eau jusqu'à
Fonds-Rouge, il faudra le concours de tout le
monde et s'il n'y a pas de réconciliation ce ne
sera pas possible.

Je vais te raconter : dans les commencements,
à Cuba, on était sans défense et sans résistance ;
celui-ci se croyait blanc, celui-là était nègre et
il y avait pas mal de mésentente entre nous :
on était éparpillé comme du sable et les patrons

marchaient sur ce sable. Mais lorsque nous avons reconnu que nous étions tous pareils, lorsque nous nous sommes rassemblés pour la *huelga*...

— Qu'est-ce que c'est ce mot : la huelgua ?

— Vous autres, vous dites plutôt la grève.

— Je ne sais pas non plus ce que ça veut dire.

Manuel lui montra sa main ouverte :

— Regarde ce doigt comme c'est maigre, et celui-là tout faible, et cet autre pas plus gaillard, et ce malheureux, pas bien fort non plus, et ce dernier tout seul et pour son compte.

Il serra le poing :

— Et maintenant, est-ce que c'est assez solide, assez massif, assez ramassé ? On dirait que oui, pas vrai ? Eh bien, la grève, c'est ça : un NON de mille voix qui ne font qu'une et qui s'abat sur la table du patron avec le pesant d'une roche. Non, je te dis : non, et c'est non. Pas de travail, pas de *zafra,* pas un brin d'herbe de coupé si tu ne nous paies le juste prix du courage et de la peine de nos bras. Et le patron, qu'est-ce qu'il peut faire, le patron ? Appeler la police. C'est ça. Parce que les deux, c'est complice comme la peau et la chemise. Et chargez-moi ces brigands. On n'est pas des brigands, on est des travailleurs, des proléteurs, c'est comme ça que ça s'appelle, et on reste en rangs têtus sous l'orage ; il y en a qui tombent, mais le reste tient bon, malgré la faim, la police, la prison, et pendant ce temps la canne attend et pourrit sur pied, la Centrale attend avec les dents désœuvrées de ses moulins, le patron attend avec ses calculs et tout ce qu'il avait escompté pour remplir ses poches et à la fin des fins, il est bien obligé de composer : alors quoi, qu'il dit, on ne

peut pas causer ? Sûr, qu'on peut causer. C'est
qu'on a gagné la bataille. Et pourquoi ? Parce
qu'on est soudé en une seule ligne comme les
épaules des montagnes et quand la volonté de
l'homme se fait haute et dure comme les montagnes il n'y a pas de force sur terre ou en enfer
pour l'ébranler et la détruire.

Il regarda au loin, vers la plaine, vers le ciel
dressé comme une falaise de lumière :

— Tu vois, c'est la plus grande chose au
monde que tous les hommes sont frères, qu'ils
ont le même poids dans la balance de la misère
et de l'injustice.

Elle dit humblement :

— Et moi, quel est mon rôle ?

— Quand j'aurai déterré l'eau, je te ferai
savoir et tu commenceras à parler aux femmes.
Les femmes, c'est plus irritable, je ne dis pas
non, mais c'est plus sensible aussi et porté du
côté du cœur, et il y a des fois, tu sais, le cœur
et la raison c'est du pareil au même. Tu diras :
Cousine Une Telle, tu as appris la nouvelle ?
Quelle nouvelle ? elle répondra. — On répète
comme ça que le garçon de Bienaimé, ce nègre
qui s'appelle Manuel, a découvert une source.
Mais il dit que c'est tout un tracas de l'amener
dans la plaine, qu'il faudrait faire un coumbite
général, et comme on est fâchés, ce n'est pas
possible et la source restera là où elle est sans
profit pour personne. Et puis tu mettras le
causer sur la pente de la sécheresse, de la misère,
et comment les enfants faiblissent et tombent
malades et que tout de même s'il y avait l'arrosage ça changerait du tout au tout, et si elle a
un semblant de t'écouter tu diras encore que
cette histoire de Dorisca et de Sauveur avait

peut-être fait son temps, que l'intérêt des vivants passait avant la vengeance des morts. Tu feras le tour des commères avec ces paroles, mais va avec précaution et prudence, va avec des : « c'est dommage, oui ; et si pourtant ; peut-être que malgré tout... » Tu as compris, ma négresse ?

— J'ai compris et je t'obéirais, mon nègre.

— Si ça prend, les femmes vont rendre leurs hommes sans repos. Les plus récalcitrants vont se fatiguer de les entendre jacasser toute la sainte journée, sans compter la nuit : de l'eau, de l'eau, de l'eau... Ça va faire une sonnaille de grelots sans arrêt dans leurs oreilles : de l'eau, de l'eau, de l'eau... jusqu'au moment où leurs yeux verront vraiment l'eau courir dans les jardins, les plantes pousser toutes seules, alors ils diront : Bon, oui, femmes, c'est bien, nous consentons.

De mon côté, je suis responsable de mes habitants, je leur parlerai comme il faut, et ils accepteront, je suis sûr et certain. Et je vois arriver le jour quand les deux partis seront face à face :

« Alors, frères, diront les uns, est-ce que nous sommes frères ? »

« Oui, nous sommes frères, feront les autres. »

« Sans rancune ? »

« Sans rancune. »

« Tout de bon ? »

« Tout de bon. »

« En avant pour le coumbite ? »

« En avant pour le coumbite. »

— Ah, dit-elle avec un sourire émerveillé, comme tu as de la malice. Je n'ai pas d'esprit moi-même, mais je suis rusée aussi, oui ; tu verras.

— Toi-même ? Tu es plein d'esprit, et la preuve : tu vas répondre à cette question, c'est une devinette.

Il désigna la plaine de la main tendue :

— Tu vois ma case ? *Bueno.* Maintenant suis-moi sur la gauche, tire une ligne tout drète à partir du morne jusqu'à cet emplacement à la lisière du bois. *Bueno.* C'est un bel emplacement, non ? On pourrait bâtir une case là, avec une balustrade, deux portes et deux fenêtres, et peut-être bien un petit perron, non ? Les portes, les fenêtres, les balustrades, je vois ça peinturé en bleu. Ça fait propre, le bleu. Et devant la case, si on plantait des lauriers, c'est pas très utile les lauriers, ça ne donne ni ombrage, ni fruits, mais ce ne serait rien que pour le plaisant de l'ornement.

Il passa son bras autour de ses épaules et elle frémit.

— Qui serait la maîtresse de la case ?

— Lâche-moi, dit-elle d'une voix étranglée, j'ai chaud.

— Qui serait la maîtresse du jardin ?

— Lâche-moi, lâche-moi, j'ai froid.

Elle se délivra de son étreinte et se leva. Elle avait la tête baissée, elle ne le regardait pas.

— Il est temps pour moi de partir.

— Tu n'as pas répondu à ma question, non.

Elle commença à redescendre la pente et il la suivit. Elle détacha la bride du cheval.

— Tu n'as pas répondu à ma question.

Elle se retourna vers Manuel.

Une lumière illumina son visage, ce n'était pas un rayon de soleil couchant, c'était la grande joie.

— Oh, Manuel.

Il tenait embrassée la chaude et profonde douceur de son corps.

— C'est oui, Anna ?

— C'est oui, chéri. Mais laisse-moi aller, t'en prie.

Il écouta sa prière et elle glissa de ses bras.

— Alors, adieu, mon maître, dit-elle dans une révérence.

— Adieu, Anna.

D'un élan aisé, elle sauta sur sa monture. Une dernière fois, elle lui sourit, puis éperonnant le cheval du talon, elle redescendit vers la ravine.

VII

Aux approches de Fonds-Rouge, la nuit commença à l'envelopper, mais l'alezan pour l'avoir fait tant de fois à cette heure, connaissait le chemin. Son allure régulière berçait les pensées d'Annaïse : elle était encore bouleversée par la langueur qui l'avait saisie, cette surprise éblouissante de sa chair, cette dérive tournoyante des arbres et du ciel devant son regard égaré et qui l'aurait laissée, si sa volonté ne s'était accrochée à une panique obscure, brisée et renversée entre les bras de Manuel.

« Elle avait perdu son âme, ah Dieu bon Dieu, quel était ce sortilège ? Certains maudits, je fais le signe de la croix, protégez-moi, Vierge Altagrâce, connaissent les maléfices qui changent un homme en bête, en plante ou en roche, en un moment de temps, c'est vrai, oui. Et je ne suis plus la même, qu'est-ce qui m'arrive, c'est une douceur qui fait presque mal, c'est une chaleur qui brûle comme la glace, je cède, je m'en vais ; o Maître de l'eau, il n'y a pas de mauvaise magie en toi, mais tu connais toutes les sources, même celle qui dormait dans le secret de ma honte, tu l'as réveillée et elle m'emporte, je ne peux pas résister, adieu, me voici. Tu prendras ma main et je te suivrai, tu prendras mon corps dans tes bras et je dirai : prends-moi, et je ferais ton plaisir et ta volonté, c'est la destinée. »

Le cheval broncha brusquement. Quelqu'un ou quelque chose venait de sauter sur la route.

— Qui est là ? cria-t-elle, alarmée.

Il y eut un ricanement rouillé :

— Bonsoir, cousine.

— Qui est là, quel est ton nom ?

— Tu ne me reconnais pas ?

— Comment veux-tu que je te reconnaisse dans ces ténèbres-là ?

— C'est moi, Gervilen.

Il marchait à côté d'elle, une ombre tassée, à peine distincte de la nuit, et elle sentit une vague menace dans sa présence.

— Comme quoi tu as eu du retard au bourg ?

— Oui, le maïs ne se vendait pas, et je ne sais pas ce qui le prend, ce cheval, à être si rétif aujourd'hui. C'est une nuisance, ce cheval.

— Et tu ne crains pas de rentrer après la brune ?

— Non, il n'y a pas de malfaiteurs sur cette route.

— Les bandits de grand chemin, ce n'est pas le plus dangereux.

Et avec le même rire sinistre :

— Il y a surtout les mauvais esprits, les démons, les grands diables, toutes sortes de Lucifers.

— Je demande pardon à Dieu, Saint Jacques, Saint Michel, aidez-moi, murmura-t-elle effrayée.

— Tu as peur ?

— Mon sang est devenu tout frète.

Gervilen se tut un moment et dans ce silence, Annaïse éprouvait une angoisse insupportable.

— On dit qu'il y en a un dans ces parages.

— Et de quel côté ?

— Tu veux savoir ?

— Oh, dis-moi vite.

Il siffla entre ses dents :

— Sur la butte des lataniers.

Elle comprit aussitôt. Gervilen les avait surpris, le malveillant, le Judas.

Elle dit avec une feinte indifférence :

— C'est peut-être pas vrai.

— Et de toutes manières, tu ne passes pas par là n'est-ce pas. Ce n'est pas ta route.

— Non.

— Tu mens.

Il tira si violemment sur la bride que l'alezan se cabra et battit l'air des sabots.

Il avait crié ; mais sa voix était restée dans le fond de sa gorge, rauque et gonflée de fureur. Elle respira une haleine empoisonnée de clairin.

— Tu mens, éhontée. Je vous ai vus de mes propres yeux.

— Lâche cette bride, tu es saoul ; je suis pressée de rentrer.

— Saoul ? Tu vas prétendre que je n'ai pas vu qu'il a mis ses pattes sur toi et que tu n'as rien fait pour l'empêcher ?

— Et même si c'était vrai. De quel droit tu te mêles de mes affaires ? Quelle autorité as-tu sur moi ?

— Ça me regarde, foutre. Nous sommes la même famille : est-ce que Rosanna n'est pas la propre sœur de défunte Miranise, ma maman ?

— Tu sens le tafia, dit-elle avec dégoût. Tu me fais tourner le cœur.

— Tu es bien méprisante, mais tu te conduis comme une jeunesse (1). Et avec qui encore ? Avec un vaurien qui a vagabondé dans les pays étrangers comme un chien sans maître, le garçon de Bienaimé, le neveu de Sauveur : pour ainsi dire ce qu'il y a de plus ennemi parmi les ennemis.

Il parlait avec une âpre véhémence, mais à voix basse, comme si la nuit était aux écoutes.

Ils allaient à la rencontre de lumières vacillantes. Des chiens se mirent à aboyer. Dans les cours, les ombres des habitants bougeaient autour du rougeoiment des cuisines en plein air.

— Annaïse, ho ?

Elle ne répondit pas.

— Je te parle, oui, Annaïse.

— Tu n'as pas fini de m'invectiver ?

— C'est que j'étais en colère.

— Alors, tu me dis : excusez ?

Il murmura comme si chaque mot lui était arraché avec des tenailles :

— Je dis : excusez.

Il retenait toujours le cheval par la bride.

— Annaïse, est-ce que tu as oublié de quoi je t'ai causé l'autre jour ?

— Quant à ça jamais.

— C'est ton dernier mot ?

— Le dernier.

— Je n'ai pas besoin d'envoyer Dorismé, mon oncle, te demander à Rosanna ?

— Non, c'est inutile.

Il dit lentement, et avec un effort enroué comme s'il étouffait :

— Tu te repentiras, Annaïse. Et je fais le

(1) Prostituee.

serment : que le tonnerre me réduise en cendres et la Vierge me crève les yeux, si je ne me venge pas.

Elle devina dans l'obscurité sa face convulsée.

— Tu ne me fais pas peur.

Mais l'inquiétude la saisit au cœur.

— Je suis un homme de parole ; marque bien ce que je te dis : il regrettera, ce nègre, d'avoir croisé le chemin de Gervilen Gervilis. Malheur à lui.

— Qu'est-ce que tu prétends faire ?

— Malheur à lui, je répète. Un jour tu comprendras cette phrase et tu mordras tes poings jusqu'aux os.

— Hue, cria-t-il brusquement au cheval, abattant avec rage le plat de sa main sur sa croupe.

L'alezan partit au galop et Annaïse eut de la peine à le maîtriser.

Lorsqu'elle arriva chez elle, Rosanna l'attendait. C'était une négresse de grand format : elle prenait tout l'encadrement de la porte.

— Pourquoi rentres-tu tard comme ça ?

Annaïse descendit du cheval et Gille, son frère, s'avança pour le desseller.

— Je parle à cette fille, est-ce qu'elle ne m'entend pas ? fit Rosanna avec colère.

— Bonsoir, sœur, dit Gille, on te demande pourquoi tu rentres tard.

— Ah, gémit-elle, à bout de forces, si vous saviez combien je suis fatiguée.

VIII

— Tu es tracassé, est-ce que je ne le vois pas,
mais oui je le vois, je te demande pourquoi et
tu ne me réponds pas, ce n'est pas bien, mon fi,
non ce n'est pas bien. Alors, c'est que tu n'as
pas confiance ? Depuis petit tu étais comme ça :
glissant et fermé comme une muraille quand on
voulait t'approcher, mais il y avait des fois, ah,
Dieu, on dirait que c'était hier et tout ce temps
a passé pourtant, tu venais près de moi le soir :
maman, raconte-moi ce conte, et moi je faisais
semblant d'être occupée et tu disais : maman,
s'il vous plaît ; nous étions assis à cette même
place, à la nuit tombée, et je commençais :
Cric ? Crac, et à la fin tu dormais la tête sur mes
genoux, c'était comme ça, mon fi, c'est ta vieille
maman qui te le dit.

Délira mit un morceau d'igname dans l'assiette de Manuel, c'est tout ce qu'il y avait à
manger aujourd'hui, avec un peu de mil.

— Tu radotes, ma femme, fit Bienaimé.

— Peut-être, peut-être que je radote. C'est
que le temps passé et le temps présent ça ne
fait pas une grosse différence ; ne te fâche pas,
Manuel, si la vieille déraille : pour moi, tu vois,
tu es toujours resté mon petit garçon et lorsque

tu étais perdu à l'étranger et que je t'attendais, j'avais un poids du côté du cœur comme si je te portais encore dans mon ventre, c'était toute la charge du chagrin, ah, Manuel, quel chagrin j'avais, et maintenant tu es retourné et je ne suis pas tranquille, non, et depuis quelques nuits, je fais de mauvais songes.

Manuel mangeait en silence. Sa mère assise à ses pieds sur un escabeau le regardait, les yeux baignés de tristesse.

— Je n'ai rien, maman. Je ne suis pas malade, pas vrai ? Ne te tourmente pas.

— Certain que tu n'es pas malade, intervint Bienaimé. A-t-on jamais vu un nègre plus gaillard ? Délira, est-ce que tu vas le laisser en paix, à la fin des fins ? Et si moi, je voulais parler aussi ? Je dirais : qui est-ce qui lui a appris à manier la houe et la serpette, à sarcler, à planter, et même à faire des carabans (1) pour attraper les oiseaux ? Ça ne finirait jamais.

Il alluma sa pipe à un tison.

— Tu as fini de manger ? demande Délira.

— Oui, je suis plein jusque-là.

Il mentait ; la faim lui creusait l'estomac, mais la vieille n'avait pas encore pris une bouchée et il ne restait pas grand-chose dans la marmite.

Comme d'habitude, il traîna sa chaise vers le calebassier et l'adossa face à la grand-route. Le soleil rampait à ses pieds, mais il avait la tête dans la fraîcheur de l'ombre.

Délira toucha humblement le bras de Manuel.

— Pardon, mon fi, je dis : pardon, pour toutes ces plaintes. Elles sont sans raison, mais

---

(1) Pièges.

je me suis fait tellement de mauvais sang pour
toi que ma tête continue à travailler à vide, ça
tourne, ça tourne : c'est un véritable moulin à
inquiétudes. Lorsque tu pars pour courir dans
ces mornes — qu'est-ce que tu cherches ? c'est
un mystère — je te regarde disparaître derrière
les bayahondes et tout d'un coup, mon cœur
s'arrête : s'il ne revenait pas, s'il s'en allait pour
toujours ? Je sais bien que c'est pas possible,
mais je prie mes anges et mes saints comme s'il
y avait un danger sur la tête et la nuit je me
réveille et j'ouvre la porte de ta chambre et je
te vois couché : il dort, il respire, il est là, merci
Vierge des Miracles.

C'est que, mon fi, tu es mon seul bien sur cette
terre, avec mon vieil homme, tout désagréable
qu'il est, pauvre Bienaimé.

Manuel lui caressa la main. Il était profondément remué.

— N'aie pas de peine pour moi, tu entends,
maman ? Et bientôt je t'apprendrai une grande
nouvelle, tu entends, chère ? J'ai l'air tracassé,
parce que tous les jours j'attends l'événement
et je suis impatient.

— Quelle nouvelle, quel événement, mais de
quoi parles-tu, Manuel ?

— Il est trop bonne heure pour le dire. Mais
ce sera une réjouissance, tu verras.

Délira le regarda, interdite, puis un tendre
sourire effaça ce qui restait d'anxiété sur son
visage :

— Tu as fait choix de quelque fille ? Ay,
Manuel, il est temps pour toi de t'établir et avec
une négresse sérieuse et travailleuse, pas une
de ces jeunesses comme il y en a dans le bourg.
Combien de fois, je me suis dit : je n'ai plus

beaucoup à vivre, est-ce que je mourrai sans
voir les petits de mon petit ? Dis-moi son nom,
parce que j'ai deviné, n'est-ce pas ? Attends :
c'est Marielle, non ? Alors : Célina, la fille de
commère Clairemise, elle est bien honnête aussi.

— Ni l'une ni l'autre, maman, et c'est pas ca
la nouvelle. C'est-à-dire...

— C'est-à-dire ?

— Ça se pourrait aussi et même c'est sûr :
les deux choses sont amarrées comme la liane
et la branche, mais ne me demande pas, maman ;
avec tout le respect que je te dois, c'est encore
un secret, à cause de certaines circonstances.

— Voilà que tu as des secrets pour ta propre
maman, à l'heure qu'il est.

Elle était déçue et un peu mortifiée.

— Et comment elle est cette fille ; ce n'est
pas une de ces pimbêches, au moins ?

— C'est une négresse qui n'a pas sa pareille
dans tous le pays.

— Quelle est sa couleur ? Elle est noire noire
ou bien, disons : rougeâtre ?

— Noire noire. Mais tu vas me demander si
elle a de grands yeux ou non, un nez comme ci
ou comme ça et encore : quelle est sa taille, si
elle est grasse ou maigre, si c'est une négresse
à grandes tresses ou à cheveux courts, et puis
tu auras son portrait tout de même que si elle
était devant toi.

Il rit :

— Ah maman, tu es ruseuse, oui.

— Bon, bon, fit Délira feignant d'être fâchée,
je dis : paix à ma bouche, je ne veux rien savoir,
je ne me mêle de rien. Allez-vous en, M'sieur,
j'ai à laver ces assiettes.

Mais on voyait que l'aventure l'intriguait et

l'enchantait. Et Manuel lui passa le bras autour du cou et ils rirent tous les deux ; le rire de Délira était étonnamment jeune, c'est qu'elle n'avait pas tellement l'habitude de le faire entendre, la vie n'est pas assez gaie pour ça : non, elle n'avait jamais eu le temps de trop l'user : elle l'avait préservé tout frais, comme un chant d'oiseau dans un vieux nid.

— On ne dirait pas des amoureux ? s'écria Bienaimé.

Ses bras levés prenaient le ciel à témoin.

— Tout à l'heure, elle était à geindre et la voilà qui rit. Quelle est cette comédie, mes amis ? Les femmes, c'est changeant comme le temps. Mais c'est un proverbe qui n'est pas vrai, parce que je voudrais bien, moi, qu'une bonne pluie tombe après toute cette sécheresse.

Il tira sur sa pipe :

— Une saison malédictionnée comme celle-là, je n'en ai jamais vu de pareille.

Le ciel teinté d'ardoise offrait une surface nue brouillée d'un dur rayonnement solaire. Les poules accablées cherchaient l'ombre. Le petit chien dormait, la tête entre ses pattes. On pouvait compter ses os : si les chrétiens vivants n'avaient presque plus rien à manger, allez voir les chiens.

Bienaimé ferma les yeux, il tenait encore sa pipe éteinte, mais sa tête penchait de côté ; il glissait dans ce sommeil qui le prenait maintenant à toute heure de la journée et qui répétait souvent le même rêve : un champ de maïs à l'infini, les feuilles ruisselantes de rosée, les épis si gonflés qu'ils forçaient leurs enveloppes et que des rangées de grains paraissaient qui semblaient rire.

Délira, elle, lavait les plats. Et elle chantait, c'était une chanson semblable à la vie, je veux dire qu'elle était triste : elle n'en connaissait pas d'autre. Elle ne chantait pas fort et c'était une chanson sans mots, à bouche fermée et qui restait dans la gorge comme un gémissement, et pourtant son cœur était apaisé depuis qu'elle avait causé avec Manuel, mais il ne savait d'autre langage que cette plainte douloureuse, alors, que voulez-vous, elle chantait à la manière des négresses ; c'est l'existence qui leur a appris, aux négresses, à chanter comme on étouffe un sanglot et c'est une chanson qui finit toujours par un recommencement parce qu'elle est à l'image de la misère, et dites-moi, est-ce que ça finit jamais, la misère ? Si Manuel entendait ses pensées, il l'attraperait ; lui, voit les choses dans une lumière de joie, une lumière rouge ; il dit que la vie est faite pour que les hommes, tous les nègres, aient leur satisfaction et leur contentement ; peut-être bien qu'il a raison : un jour s'en va et un jour viendra qui apportera cette vérité, mais en attendant, la vie est une punition, voilà ce qu'elle est, la vie.

Pendant un bon moment tout sembla endormi et seul le chant berçait le silence qui est le sommeil du bruit.

Mais la voix excitée du Simidor réveilla Bienaimé.

— Bienaimé, ho Bienaimé, il y a des nouvelles, dit-il.

Le vieux bâilla, se frotta les yeux, secoua les cendres de sa pipe.

— Encore des tripotages que tu viens me raconter. Si tes jambes marchaient aussi vite que ta langue, tu ferais la route d'icitte à Port-au-Prince en un clin d'œil.

— Non, ce que je te dis est la vérité du bon
Dieu : Saint-Julien est parti et compère Loctama
aussi.

— Eh bien, ils retourneront. Le cheval connaît la longueur de sa corde.

— Mais ils sont partis pour de vrai. Erzulie,
la madame de Saint-Julien, répète qu'ils vont
passer la frontière du côté de Grand Bois pour
essayer de trouver du travail en Dominicanie.
La malheureuse crie et se lamente. Bientôt il ne
lui restera plus une seule goule d'eau dans le
corps. Saint-Julien l'a laissée avec six petits
nègres en bas âge. Qu'est-ce que tu veux, cette
sécheresse, c'est décourageant et il y en a qui
ne se résignent pas à périr ; ils préfèrent quitter
la terre des anciens pour aller chercher la vie
en pays étranger. Et Charité, la fille de commère
Sylvina, est partie aussi.

— Tu ne me diras pas ?

— Ouais, c'est comme ça, et d'autres vont la
suivre sûrement. Elle est allée à la ville. Tu sais
comment elle va finir ? Dans le péché et les
mauvaises maladies. Mais il vaut mieux être
laid que mort, dit le proverbe. Et nous allons
tous mourir, si ça continue. Moi, je ne demande
pas autre chose : je suis vieux, j'ai fait mon
temps. Et à quoi bon vivre, si je ne peux plus
passer mon tambour en bandoulière et conduire
le coumbite en chantant et boire mon compte
de clairin après ? J'étais né pour ça, avec des
doigts comme des baguettes et à la place de la
cervelle une nichée d'oiseaux musiciens. Alors,
je te demande, pourquoi je vis encore. Mon rôle
est fini.

Il avait un peu bu, le Simidor, et maintenant

il avait la soulaison amère.

— Jésus-la-Vierge, soupira Délira. Si les jeunes s'en vont, qui donc enterrera nos vieux os,
pour que le jour du Jugement ils soient assem-
blés entre Satan et le Père Eternel ?

— Ne m'énerve pas, Délira, gronda Bienaimé.
Et le bon Dieu va se fatiguer de t'entendre
nommer son nom pour un oui et pour un non.

Il se tourna vers Antoine.

— Faut les empêcher de partir. Cette terre
nous a nourris pendant des générations. Elle est
encore bonne, elle ne demande qu'un peu d'eau.
Dis-leur que la pluie viendra, d'avoir une petite
patience. Non, j'irai leur parler moi-même.

Savoir si les habitants écouteraient Bienaimé.
Ils étaient gavés de misère, ils n'en pouvaient
plus. Les plus raisonnables perdaient la tête, les
plus forts fléchissaient. Quant aux faibles, ils
s'abandonnaient, advienne que pourra, disaient-
ils. On les voyait couchés, mornes et silencieux,
sur leurs nattes devant les cases, ruminant leur
déveine, ayant perdu toute volonté. D'autres
dépensaient leurs derniers centimes à acheter
du clairin chez Florentine, la femme de l'officier
de Police rurale, ou bien ils prenaient à crédit,
ce qui tôt ou tard leur jouerait un mauvais tour.
L'alcool leur donnait un semblant de vigueur,
une brève illusion d'espoir, un oubli momentané.
Mais ils se réveillaient la tête orageuse, la bouche
sèche ; la vie prenait un goût de vomissure et
ils n'avaient même pas un morceau de salaison
pour se refaire l'estomac.

Fonds-Rouge s'en allait en débris et ces débris
étaient ces bons habitants, ces nègres conséquents et de grand courage avec la terre, est-ce
que ce n'était pas dommage, tout de même ?

— Manuel, où est ce Manuel ? cria Bienaimé.

— Il est sorti, répondit Délira.

— Toujours sorti, toujours dehors, toujours à courir dans les mornes. Un vrai nègre marron, ton garçon, Délira.

— C'est ton garçon aussi, Bienaimé.

— Ne me contrarie pas. Ces tendances-là, il a dû les prendre de ton côté.

— Oui, parce que toi tu es sans reproche.

— Je ne dis pas, parce que ce serait de la vantardise.

— Il y en a, dit le Simidor, leur derrière est léger comme les cerfs-volants, ils ne tiennent pas en place, c'est pas de leur faute.

Mais Délira s'était fâchée. Quand ça lui arrivait et c'était rare, elle redressait son corps décharné, elle paraissait très grande ; sa voix ne s'élevait pas, elle restait calme et posée, mais les mots prenaient un fil coupant :

— C'est ça : j'ai été une vagaborde, je n'ai pas travaillé pour toi tous les jours de mon existence, du lever du soleil à la nuit noire. Je n'ai fait que rire et danser. La misère n'a pas graffigné ma figure, regarde mes rides, la misère ne m'a pas écorchée, regarde mes mains, la misère ne m'a pas saignée, si seulement tu pouvais regarder dans mon cœur.

Quant à toi, tu es un nègre sans défaut, un nègre sans pareil, un nègre sans comparaison. Merci, mon Dieu, qu'une personne si peu méritante soit la femme d'un homme comme lui.

— Bon, assez, je dis : assez, femme, assez pour mes oreilles. Compère Antoine, allons voir ce qui se passe.

Délira, les regardant s'éloigner, secoua la tête et sourit ; sa colère était tombée.

— Ah, Bienaimé, ah, mon pauvre nègre, murmura-t-elle.

Sa pensée revint aussitôt à Manuel : « Qu'est-
ce qu'il peut bien chercher dans ces mornes ?
Peut-être un trésor ? » L'idée lui en vint soudain : « Les blancs français avaient habité par
icitte, on voyait encore par-ci par-là les traces
de leurs indigoteries. Et ne disait-on pas qu'un
habitant de Boucan Corail avait trouvé par
hasard, en fouillant son jardin, une jarre rem-
plie de pièces d'argent. Comment qu'il s'appelait
déjà cet habitant ? Ah, bah, j'ai oublié, mais ça
ne fait rien, la chose était vraie et Bienaimé
avait vu un de ces carolus, il était gros comme
ça et lourd ; un Italien de la ville avait pris le
tout pour une bonne valeur et cet habitant,
mais quel était donc son nom ? Ciriaque, c'est
ça : Ciriaque, avait acheté des terres du côté
de Mirebalais et était devenu un grand propriétaire.

Mais on prétend que pour trouver un trésor
il faut avoir des compromissions avec le diable.
Manuel n'en est pas capable ; quant à ça, je
suis sûre que non. »

...Ce platon de Chambrun où se trouvait
Manuel s'élevait au milieu d'une petite plaine
qui l'isolait, comme une île, du mouvement des
collines environnantes. De là, le regard portait
à la ronde sur tout le pays : au levant, ce pro-
montoire incliné d'où montaient des fumées,
c'était Bellevue, ces cases en contre-bas, Boucan
Corail, et plus loin, dans le bleu de la distance,
étagée sur une pente adoucie, Mahotière et la
belle venue de ses jardins de vivres à l'ombre
des manguiers et des avocatiers. Ses habitants
avaient même la chance d'une source d'eau

bonne à boire et qui suffisait aussi pour la lessive. Elle jaillissait dans une gorge, et des choux caraïbes poussaient là, du cresson, et même de la menthe. C'est là que s'approvisionnaient ceux de Fonds-Rouge, mais c'était loin, et les calebasses remplies pesaient lourd sur le chemin du retour.

C'est ce qu'on appelait les Terres Froides, par contraste avec la plaine. Leurs habitants étaient plus râblés que nous autres et ils avaient une manière de traîner le derrière en marchant : Nègres Congo, que nous leur disions, mais on vivait quand même en bonne intelligence avec eux.

Au-dessus de Mahotière, à une journée de chevauchée, on arrivait au Morne Villefranche ; les bois de pin commençaient sur ses flancs, avec de longues traînées de brouillard, des loques humides pires que la pluie, pénétrantes jusqu'à la moelle des os. C'est une montagne à pic, déchirée de gouffres dont on ne voit pas le fond, couronnée de pitons qui se perdent dans le ciel bouleversé ; les arbres y sont noirs et sévères ; le vent se plaint nuit et jour dans leurs branches, parce que c'est sensible et chantant, les pins.

J'ai entendu dire que le plateau donnait un bon pâturage et que les bêtes à cornes y engraissaient à plaisir, mais je n'ai jamais été plus haut que Les Orangers où habite ma commère — Finélia, qu'on l'appelle — et là, déjà, il fait une froidure qui n'est pas supportable pour nous, nègres de la plaine.

Devant le regard de Manuel l'alignement des mornes courait jusqu'au couchant en une seule vague d'un bleu passé et tendre à l'œil ; si parfois le creusement d'un vallon la rompait, comme pour ce plateau de Chambrun, elle reprenait bientôt avec une nouvelle houle, d'autres gommiers rouges, d'autres chênes et la même broussaille confuse d'où s'élançaient les lataniers.

Un remuement d'air rapide et soyeux lui fit lever la tête vers un passage de ramiers. « C'est des millets. » Il suivit leur sillage cendré, jusqu'à leur plongée éparpillée sur un morne voisin.

Soudain une idée le frappa qui le mit debout : « Les ramiers, ça préfère le frais. *Caramba*, si c'était comme qui dirait un signe du ciel ? » Il redescendit le morne presque en courant. Le cœur lui battait à grands coups. « Qu'est-ce qui t'arrive, oh, Manuel ? se disait-il. On croirait que tu vas à une première rencontre avec une fille. Ton sang est tout bouillant. » Une angoisse singulière lui nouait la gorge. « J'ai peur que ce soit comme les autres fois, une tromperie et une déception, et je sens que si je ne la trouve pas ce coup-ci, j'aurai un grand découragement. Peut-être même que je dirai : eh bien bon, tant pis. Non, c'est pas possible. Est-ce qu'on peut déserter la terre, est-ce qu'on peut lui tourner le dos, est-ce qu'on peut la divorcer, sans perdre aussi sa raison d'existence et l'usage de ses mains et le goût de vivre ? Mais oui, il recommencerait à chercher, il le savait bien, c'était sa mission et son devoir. Ces habitants de Fonds-Rouge, ces têtes dures, ces *cabezes* (1) de roche, il leur fallait cette eau pour retrouver l'amitié entre frères et refaire la vie comme elle doit être : un service de bonne volonté entre nègres pareils par la nécessité et la destinée. »

(1) Caboches.

Il traversa le couloir de la plaine, il allait vite, il était pressé, il était impatient et il lui semblait que son sang s'engorgeait et essayait de s'échapper par ce tapage sourd dans le plein de sa poitrine.

« C'est là que les ramiers ont *jouqué*. Un morne bien boisé, il y a même des acajous, et ce feuillage gris qui fait argenté au soleil, je ne me trompe pas : c'est des bois-trompettes, et les gommiers, naturellement, ne manquent pas, mais de quel côté je vais entrer ? »

Son oreille le guidait plus que le regard. A chaque pas qu'il dégageait à coups de machette dans l'enchevêtrement des plantes et des lianes, il s'attendait à entendre l'envol effarouché des ramiers.

Il taillait son chemin de biais, vers le plus touffu du morne. Il avait déjà remarqué ce retrait, ce tassement assombri où les arbres se ramassaient dans une lumière épaisse.

Une faille abrupte s'ouvrit devant lui. Il la descendit, s'accrochant aux arbustes. Les pierres qui roulèrent sous lui, suscitèrent aussitôt un claquement d'ailes multiplié, les ramiers se dégageaient des branchages et par les déchirures du feuillage il les vit se disperser à tous les vents.

« Ils étaient plus haut ; il y en avait sur ce figuier-maudit là-bas. »

Manuel se trouvait au bas d'une sorte d'étroite coulée embarrassée de lianes qui tombaient des arbres par paquets déroulés. Un courant de fraîcheur circulait et c'était peut-être pourquoi les plantes volubiles et désordonnées poussaient si dru et serré. Il monta vers le figuier-maudit, il sentait ce souffle bienfaisant lui sécher la sueur, il marchait dans un grand silence, il

entrait dans une pénombre verte et son dernier
coup de machette lui révéla le morne refermé
autour d'une large plate-forme et le figuier
géant se dressait là d'un élan de torse puissant ;
ses branches chargées de mousse flottante couvraient l'espace d'une ombre vénérable et ses
racines monstrueuses étendaient une main d'autorité sur la possession et le secret de ce coin
de terre.

Manuel s'arrêta ; il en croyait à peine ses yeux
et une sorte de faiblesse le prit aux genoux.
C'est qu'il apercevait des malangas, il touchait
même une de leurs larges feuilles lisses et gla-
cées, et les malangas, c'est une plante qui vient
de compagnie avec l'eau.

Sa machette s'enfonça dans le sol, il fouillait
avec rage et le trou n'était pas encore profond
et élargi que dans la terre blanche comme craie,
l'eau commença à monter.

Il recommença plus loin, il s'attaqua avec
frénésie aux malangas, les sarclant par brassées,
les arrachant des ongles par poignées : chaque
fois il y avait un bouillonnement qui s'étalait
en une petite flaque et devenait un œil tout clair
dès qu'elle reposait.

Manuel s'étendit sur le sol. Il l'étreignait à
plein corps :

« Elle est là, la douce, la bonne, la coulante,
la chantante, la fraîche, la bénédiction, la vie. »

Il baisait la terre des lèvres et riait.

IX

— Tu as remarqué notre Manuel ? Depuis
deux jours, il est comme s'il était tombé dans
un nid de fourmis. Il est par icitte, il est par là,
mais jamais à la même place. Il va sur la grand-
route, il s'assied sur la galerie, il se lève à
nouveau. Tu l'appelles, il n'entend pas, tu
l'appelles encore, il semble sortir d'un rêve :
Eh bien, oui ? il dit, mais tu vois qu'il ne
t'écoute pas. La nuit je l'entends se retourner
sur son matelas, et s'agiter et se débattre ; il
cherche le sommeil, il ne le trouve pas. Ce grand
matin, je l'ai entendu qui riait tout seul et pour
son compte tandis qu'il se lavait derrière la case.
Est-ce qu'il aurait l'esprit dérangé, notre garçon?
Bienaimé, mon homme, réponds-moi, Bienaimé.

— Qu'est-ce que tu veux que je te dise ? fit
le vieux de mauvaise humeur. Je ne suis pas
dans sa peau, je ne suis pas dans sa tête. C'est
un nègre remuant, ce Manuel, un nègre mouve-
menté. Voilà tout. Il y en a qui sont lents de
nature et d'autres vifs comme l'éclair. Où vois-
tu là du drôle et de l'inquiétant ? Toi, tu voudrais l'avoir tout le temps dans les plis de ton
caraco comme un petit garçon et qu'il te raconte:
maman, j'ai ceci, maman, j'ai cela, comme s'il

n'avait pas grandi, comme s'il n'était pas un homme fait, avec toute sa conscience et toute sa raison. Alors, laisse-lui donc sa liberté : les jeunes poulains, c'est fait pour galoper dans la savane. Baille-moi un morceau de charbon pour que j'allume ma pipe.

— C'est pas toi qui te plaignais l'autre jour qu'il était toujours en course ?

— Moi, quand ça ?

Le vieux faisait l'étonné.

— Tu cherches à me disputer, Délira ?

— Et cette pelle qu'il a été acheter hier au bourg, tu me diras pourquoi il en a besoin, et pourquoi il est parti ce matin avec elle dans les mornes, même qu'à son retour, elle était pleine d'une terre blanche comme il n'y en a pas dans ces parages ?

— Mais comment veux-tu que je réponde à tous ces pourquoi ? Demande-moi une bonne fois la raison que la lune certains jours ressemble à une tranche de melon d'Espagne, et à d'autres, la voilà ronde comme une assiette. C'est que tu es une femme enrageante, oui, Délira. Qu'est-ce que tu as à me pincer les côtes avec tes questions toute la sainte journée ? Dans ta jeunesse, tu étais plutôt pas parlante, on te tirait les mots difficilement. Pour dire la vérité, je regrette ce temps passé.

Il se rencogna dans sa chaise, bougon et mécontent, les lèvres serrées autour du tuyau de sa pipe.

Les ennuis s'accumulaient. Quand un homme commence à avoir du guignon, dit-on, même le lait caillé peut lui casser la tête. La génisse peintelée s'était empêtrée dans sa corde et foulé une jambe. Dorméus l'avait traitée pour trois piastres, le sans-honte, mais elle tardait à guérir et Bienaimé devrait encore attendre avant d'aller la vendre. Lhérisson était parti travailler du côté de la Croix des Bouquets dans une équipe des Travaux Publics. D'autres songeaient à suivre son exemple et même à laisser Fonds-Rouge pour tout de bon. Et maintenant, ce Manuel qui se conduisait comme s'il allait tomber du mal caduc, quand donc, par la barbe du Saint Esprit, pardon, mon Dieu, j'ai blasphémé, je ne le ferai plus, mea culpa, quand donc finiraient tous ces emmerdements ?

Et voici arriver la commère Destine. Comment fait-elle pour garder toute cette graisse, se demande Bienaimé. Sa grosse figure noire brille comme du cuir bien ciré.

— Je suis passée te dire un petit bonjour commère Délira. Compère Bienaimé, bonjour, oui.

— Bonjour, chère, répond le vieux.

Et puis il fait semblant de dormir. Il n'a pas envie de parler.

Délira a avancé l'escabeau à Destine. Elle, reste debout. Destine s'étale et déborde de tous côtés.

— Comment va la vie ? fait-elle.

— La pénitence continue, soupire Délira.

D'un mouvement de la tête, elle désigne les champs, et elle lève les yeux vers le ciel implacable.

On est au moment le plus chaud de la journée, et ce n'est pas midi, c'est plutôt vers les deux heures, lorsque la terre commence à dégager une vapeur qui monte et danse et fait plisser les paupières, tellement c'est aveuglant.

Il y a dans les bayahondes un roucoulement

triste de tourterelle et le mâle répond avec un accent rauque, qui appelle. Mais leur dialogue n'interrompt pas le silence, il l'accompagne et le rend plus lourd et plus présent.

— Je vais partir, moi aussi, déclare Destine.

— Ne me dis pas... s'exclame Délira effrayée.

— Oui, chère, c'est comme ça. Nous allons quitter la terre des anciens, mon nègre Joachim et moi-même. Nous avons de la famille du côté de Boucan Corail, c'est de la famille éloignée, mais peut-être nous fera-t-elle la charité d'un morceau de terre, de quoi bâtir un ajoupa (1) et planter un petit jardin. A la grâce de Dieu, Délira, mais comme c'est une grande peine...

Elle pleurait ; les larmes traçaient des sillons sales sur ses joues.

La vie était tarie à Fonds-Rouge. On n'avait qu'à écouter ce silence pour entendre la mort, se laisser aller à cette torpeur et on se sentait enseveli. Le heurt régulier et répété des pilons dans les mortiers s'était tu : il n'y avait plus un grain de petit-mil, et ce qu'il était loin le temps des coumbites, du chant viril et joyeux des hommes, du balancement étincelant des houes au soleil, le temps bienheureux où nous dansions le menuet sous les tonnelles et les voix insouciantes des jeunes négresses jaillissaient comme une fontaine dans la nuit, adieu, je dis : adieu au temps de la grâce et de la miséricorde, adieu, adieu, nous nous en allons, c'est fini. Oh loa, mes loa de Guinée, vous n'avez pas bien mesuré le travail de nos mains et notre part de misère, votre balance a faux poids et c'est pourquoi nous mourrons sans secours et sans

(1) Case.

espoir, est-ce que c'est juste, répondez-moi, non, en vérité, c'est pas juste.

Délira dit, et sa voix est tranquille :

— A la Toussaint, j'ai nettoyé les tombes de mes morts. Ils sont tous enterrés icitte : ils m'attendent. Mon jour commence à tomber, ma nuit approche. Je ne peux pas partir.

Destine pleurait toujours :

— J'ai deux garçons dans le cimetière.

Délira lui toucha l'épaule :

— Prends courage, Destine, tu retourneras, cousine, tu retourneras avec la pluie et la bonne saison.

Destine essuya ses yeux du revers de sa main grasse, molle et comme désossée :

— Ce matin il y avait une couleuvre enroulée dans le faîtage de la case, Joachim est monté sur la table et lui a fait sauter la tête d'un coup de serpette. Joachim, je lui ai dit, pourvu que ça ne nous porte pas malheur, tu m'entends Joachim ? Mais il a haussé les épaules sans une parole ; ça le ronge, Joachim, cette situation, ça le ronge en dedans comme une maladie, alors, c'est à peine, à l'heure qu'il est, s'il ouvre la bouche. Et Florentine lui réclame l'argent du clairin avec force menaces et des mots que ça ne peut pas se répéter, la scandaleuse, la femelle de gendarme.

Elle se leva :

— Nous nous verrons encore, Délira chère, je ne partirai pas avant la fin de cette semaine. J'ai rencontré Manuel en chemin ; en voilà un nègre bien fait. Tu as de la chance, cousine ; moi, mes deux garçons sont dans le cimetière, mais c'est la vie, on ne peut rien faire contre le malheur, il faut se résigner.

Quand elle fut partie, Bienaimé ouvrit les yeux ; il bascula sa chaise en avant, frappa du pied avec colère.

— Ah nègres ingrats que vous êtes, s'écria-t-il. Cette terre vous a donné à manger, jour après jour, pendant des années et voilà que vous la quittez avec quelques lamentations pour la forme et un peu d'eau dans les yeux en guise de lessive pour la mauvaise conscience et le remords. Bande d'hypocrites. Quant à nous-mêmes, nous restons. Pas vrai, Délira ? Pas vrai, ma vieille femme ?

— Eh où pourrions-nous bien aller ? répondit Délira.

*
**

Enfin, après deux jours d'impatience, Manuel avait pu la rencontrer. Elle marchait sur la grand-route, à la vue des cases. Mais il lui avait soufflé au passage, en la croisant, sans s'arrêter, comme ça entre les dents : Attends-moi devant l'entourage de compère Lauriston, sous le tamarinier.

Et maintenant il la conduisait vers la source. Elle avait de la peine à le suivre tant il allait vite, elle avait peur aussi qu'on l'ait aperçue, mais Manuel assurait que non : l'endroit était abandonné depuis longtemps, c'était un ancien champ de coton dans le flanc des bayahondes, regarde : c'est plein d'herbe et de piquants, maintenant.

Ils entrèrent dans le bois. Le soleil passait à travers le tamis des arbres et remuait sur le sentier avec le mouvement du vent dans les hautes branches.

— Tu crois qu'il y a de l'eau en suffisance ? demanda Annaïse.

— J'ai fouillé jusque-là.

Il traça, de la main, une ligne à la hauteur de sa ceinture.

— Et pas un trou, seulement. Plusieurs. Sur toute la longueur de la plate-forme. C'est plein. Un grand bassin, je te dis.

Il était essoufflé, moins par la marche rapide que par ce souvenir.

— Si je n'avais pas rebouché les trous, je crois que ça aurait débordé, tellement il y en a.

— Tu es fort, oui, Manuel.

— Non, mais j'ai la foi.

— La foi dans quoi ?

— La foi dans la vie, Anna, la foi que les hommes ne peuvent pas mourir.

Elle réfléchit un instant.

— Qu'est-ce que tu veux dire ? C'est comme pour l'eau, il faut fouiller profond dans tes paroles pour trouver leur sens.

— Oh sûr, qu'un jour tout homme s'en va en terre, mais la vie elle-même, c'est un fil qui ne se casse pas, qui ne se perd pas tu sais pourquoi ? Parce que, chaque nègre pendant son existence y fait un nœud : c'est le travail qu'il a accompli et c'est ça qui rend la vie vivante dans les siècles des siècles : l'utilité de l'homme sur cette terre.

Elle le regarda avec ferveur :

— Jésus-Marie-la-Vierge, comme tu es savant, et toutes ces idées, elles viennent de ta tête ?

Elle se mit à rire :

— Tu n'as pas mal à la tête des fois ?

— Tu veux me moquer, hein...

Il la saisit par le bras et tout de suite le visage

d'Annaïse s'altéra, la lumière vacilla dans ses yeux et elle dit d'une voix étranglée, parce que son cœur battait dans sa gorge :

— Mène-moi à la source.

Le taillis s'éclaircissait, les arbres s'espaçaient ; au bout du sentier s'ouvrait l'espace libre de la plaine.

— Tu vois ce morne ? dit Manuel. Non, pas celui-là, l'autre, le boisé, le bleu foncé, parce qu'il est tout juste en bas d'un nuage ? C'est là. Attends, je vais voir si personne ne vient.

Il sortit du bois, jeta un coup d'œil sur les environs. Il lui fit signe et elle le rejoignit.

— Allons vite, Manuel. J'ai peur qu'on nous voie.

Elle ne lui dit pas que depuis leur rencontre sur la butte aux lataniers, Gervilen l'épiait. Au détour d'un chemin, il apparaissait brusquement. Il ne disait rien, mais ses yeux rougis avaient une lueur sinistre. Aujourd'hui, il avait été au bourg, elle le savait parce que son frère Gille devait l'y accompagner comme témoin, devant la justice de paix, d'une affaire de mulet volé ou égaré, elle ne se rappelait plus.

Gille lui avait demandé :

— Tu as eu quelque histoire avec cousin Gervilen ? Avant-hier au soir, quand il est venu me voir, il te regardait tout drôle.

Elle n'avait pas répondu.

— Tu as l'air de rêver, fit Manuel, tu ne dis rien, ma négresse.

— J'aimerais être arrivée. Cette plaine est longue à traverser, je sens dans mon dos qu'on me regarde, c'est comme des pointes de couteaux.

Manuel tourna la tête de tous côtés :

— Ne sois pas craintive, il n'y a pas per-

sonne. Bientôt, nous n'aurons pas à nous cacher.
Tout le monde saura pour qui je vais bâtir cette
case. Trois pièces qu'elle aura, trois ; j'ai déjà
calculé. Les meubles, je vais les faire moi-même,
il y a du bel acajou par icitte, je suis un peu
menuisier.

Et il y aura aussi une tonnelle, avec une
plante grimpante, à cause de l'ombrage. On
pourrait essayer du raisin, que dis-tu ? Avec une
bonne quantité de marc de café dans les racines,
ça viendra, tu ne crois pas ?

— Ce sera comme tu voudras, murmura-t-elle.

« Oui, je serais la maîtresse de ta maison. Je
sèmerai tes champs, et je t'aiderai à rentrer la
récolte. Je sortirai dans la rosée, au lever du
soleil, pour cueillir les fruits de notre terre ;
j'irai dans le serein du soir voir si les poules
reposent dans les branches des arbres, si la bête
sauvage et vorace ne les a pas enlevées. J'apporterai au marché notre maïs et nos vivres. Tu
espéreras mon retour sur le pas de la porte. La
lumière de la lampe sera derrière toi, sur la
table, mais j'entendrai ta voix : tu as eu bonne
vente, ma femme ? et je te répondrai selon la
chance ou la malchance de la journée. Je te
servirai à manger et je resterai debout pendant
que tu manges et tu me diras : merci, ma
négresse et je répondrai : à ton service, mon
maître, parce que je serai la servante de ta
maison. La nuit, je m'étendrai à tes côtés, tu
ne diras rien, mais à ton silence, à la présence
de ta main, je répondrai : oui, mon homme,
parce que je serai la servante de ton désir. Il y
aura un canal d'eau dans notre jardin et des
roseaux et des lauriers sur ses bords. Tu me l'as
promis. Et il y aura les enfants que je te don-

nerai, c'est moi qui le promets, au nom des
saints qui sont sur la terre, au nom des saints
qui sont dans les étoiles. »

Son visage était devenu grave, à l'image de
son âme.

— Tes sourcils sont froncés, s'étonna Manuel ;
tes yeux regardent dans le loin. Dis-moi ce que
tu as, ma négresse ?

Elle lui sourit, sa bouche tremblait.

— De quel côté est la source, Manuel ?

— Nous sommes arrivés. Baille-moi ta main.
Il y a une montée qui n'est pas facile.

Ils suivirent le chemin haché par la machette
de Manuel dans l'étouffement des plantes.

Manuel descendit d'abord dans la faille. Elle
hésita, glissa un peu et il la reçut dans ses bras.
Il éprouva contre le sien, le poids et la chaleur
de son corps. Mais elle se dégagea.

— Ça sent le frais, dit-elle, ça sent le vent et
l'humide.

Les ramiers battaient de l'aile, s'ouvraient
un passage dans les feuilles, vers le ciel.

Elle leva le regard vers les branches qui se
refermaient vers le silence.

— Il fait sombre, comme il fait sombre. On
ne croirait pas que dehors il y a grand soleil.
Icitte, c'est goutte à goutte qu'il filtre, le soleil.
J'écoute, je n'entends aucun bruit, on est
comme sur un îlet, on est loin. Manuel, on est
au fin fond du monde.

— Au commencement du monde, tu veux
dire. Parce que au commencement des commencements, il y avait une femme et un homme
comme toi et moi ; à leurs pieds coulait la première source et la femme et l'homme entrèrent
dans la source et se baignèrent dans la vie.

Il lui prit la main :

— Viens.

Il écarta les lianes. Elle entra dans le mystère du figuier-maudit.

— C'est le gardien de l'eau, murmura-t-elle, avec une sorte de terreur sacrée.

— C'est le gardien de l'eau.

Elle contempla les branches chargées de mousse argentée et flottante.

— Il a grand âge.

— Il a grand âge.

— On ne voit pas sa tête.

— Sa tête est dans le ciel.

— Ses racines sont comme des pattes.

— Elles tiennent l'eau.

— Montre-moi l'eau, Manuel.

Il fouilla dans la terre :

— Regarde.

Elle s'agenouilla, trempa un doigt dans la flaque, fit le signe de la croix.

— Je te salue, eau bénite, dit-elle.

— Et là, regarde encore : il y en a tout par tout.

— Je la vois, dit-elle.

Elle appuya son oreille contre la terre.

— Je l'entends.

Elle écoutait, le visage recueilli, éclairé d'un ravissement infini.

Il était près d'elle.

— Anna.

Leurs lèvres se touchèrent.

— Mon nègre, soupira-t-elle.

Elle ferma les yeux et il la renversa. Elle était étendue sur la terre et la rumeur profonde de l'eau charriait en elle une voix qui était le tumulte de son sang. Elle ne se défendit pas.

Sa main si lourde lui arrachait une douceur intolérable, je vais mourir. Son corps nu brûlait. Il desserra ses genoux et elle s'ouvrit à lui. Il entra en elle, une présence déchirante, et elle eut un gémissement blessé, non, ne me laisse pas ou je meurs. Son corps allait à la rencontre du sien dans une vague fiévreuse ; une angoisse indicible naissait en elle, un délice terrible qui prenait le mouvement de sa chair ; une lamentation haletante monta à sa bouche, et elle se sentit fondre dans la délivrance de ce long sanglot qui la laissa anéantie dans l'étreinte de l'homme.

X

— Le soleil se lève, dit Délira.

— Il est sur le morne, répondit Bienaimé.

Les poules caquetaient, inquiètes. Elles attendaient qu'on leur lançât du maïs, mais les habitants n'avaient plus rien à manger ou c'était presque tout comme. Ils gardaient les derniers grains, ils les écrasaient sous le pilon et ils en faisaient une bouillie épaisse et lourde, mais c'était remplissant, ça donnait de la consistance à l'estomac.

Les coqs s'affrontaient, une fraise de plumes hérissées autour de leurs cous. Ils échangeaient quelques becquées, quelques coups d'éperon.

— Chhh !... et Bienaimé frappait dans ses mains. Ils se séparaient pour se dresser plus loin et claironner à plein gosier leur défi.

Et dans chaque cour c'était pareil. Le jour commence ainsi, avec une lumière qui ne se décide pas, des arbres engourdis et la fumée qui monte derrière les cases, car c'est le moment du café et ce n'est pas mauvais d'y tremper un morceau de biscuit si le café est bien adouci — au sirop de canne, bien entendu, parce que pour le sucre, même le rouge, le bon marché, on n'a plus de quoi par les temps présents.

— Manuel a dit qu'il allait chercher Laurélien.

— C'est ce qu'il a dit.

— Mais qu'est-ce qui se passe donc, Bienaimé ?

— Demande-moi, je ne te répondrai pas.

— Il y a longtemps que je n'ai pas entendu
une parole aimable de ta bouche.

Bienaimé avala une gorgé de café. Il se sentit
honteux.

— C'est que mes rhumatismes recommencent,
fit-il en manière d'excuse. Si tu me frottais avec
un peu d'huile ? C'est dans les jointures que ça
me tient.

— Je ferai chauffer l'huile avec du sel. Ça
entrera mieux dans le mal.

Le vieux alluma sa pipe. Il caressa sa barbe
blanche.

— Délira, ho ?

— Oui, Bienaimé.

— Je vais te dire quelque chose.

— Je t'écoute, oui, Bienaimé.

— Tu es une bonne femme, Délira.

Il tourna le regard et s'éclaircit la voix.

— Je vais te dire encore quelque chose.

— Oui, cher.

— Je suis un nègre désagréable.

— Non, Bienaimé, oh non, mon homme, tu
as seulement tes jours difficiles, c'est la faute
de toute cette misère. Mais depuis le temps que
nous marchons ensemble dans la vie, et ça fait
une longue route, avec, ah Dieu, pas mal de
mauvais passages et des tribulations en quantité, tu m'as toujours protégée, tu m'as soutenue,
tu m'as secourue, je me suis appuyée sur toi,
et j'ai été à l'abri.

Mais le vieux insistait :

— Je te dis que je suis un nègre désagréable.

— Je connais le fond de ton cœur, il n'y a pas meilleur que toi.

— Tu es contrariante, oui, Délira; ma parole, je n'ai jamais vu femme plus têtue que toi.

— Bon, Bienaimé, c'est bien.

— C'est bien, quoi ?

— Tu es un nègre désagréable.

— Moi ? fit Bienaimé, interloqué et furieux.

Délira eut son petit rire clair.

— C'est toi qui le prétends.

— Mais tu n'as pas besoin de le répéter. Tout le voisinage va l'entendre : Bienaimé est un nègre désagréable, Bienaimé est un... Eh bien, oui, et après ?

La colère, c'était la seule sève qui lui restait dans les veines. Il en faisait grand usage.

Manuel et Laurélien arrivaient à grands pas. Ils sortaient du bois. Ils riaient et Laurélien si calme à l'ordinaire assénait sur l'épaule de Manuel des coups à estropier un bœuf.

— Il l'a trouvée, cria-t-il de loin, il l'a trouvée.

— Qu'est-ce qu'il raconte ce Laurélien, il est fou, non ? grommela Bienaimé. Et le voilà qui piaffe comme s'il marchait sur des piquants. Il n'a pas déjà bu, ce grand matin ?

Délira alla chercher des chaises.

— Serviteur, dit Laurélien, portant la main à son front.

— Adieu, mon fi, répondit le vieux.

Il le regarda avec méfiance.

— L'absinthe, dit-il, il ne faut pas en abuser. Un verre pour se réveiller l'estomac, je ne dis pas non, mais pas plus.

— Je suis saoul, c'est la vérité, dit Laurélien.

Il tordait ses grandes mains et riait.

— Pourtant je n'ai pas bu une goutte, pas ça.
Délira, comment va la vie ? Ah, ma commère,
elle va changer, la vie, depuis le jour d'aujour-
d'hui, elle va changer.

Il se tourna vers Manuel. Son visage redevint
sérieux.

— Parle, chef. Explique-leur l'affaire.

— C'est par rapport à l'eau, fit Manuel.

Il respira profondément. Chaque mot avait son
poids d'émotion.

— Depuis mon retour à Fonds-Rouge, je la
cherche.

Il ouvrit les bras, sa face était pleine de soleil,
il cria presque :

— Je l'ai trouvée. Une grande source, un
bassin rempli à ras bord, capable d'arroser la
plaine. Chacun en aura pour ses besoins et sa
suffisance.

Bienaimé sauta sur ses pieds. Sa main tremblante s'accrocha à la chemise de Manuel.

— Tu as fait ça ? Tu as trouvé l'eau ? C'est
vrai ?

Il riait avec une étrange grimace, une voix
qui se brisait, et les larmes coulaient dans sa
barbe blanche.

— Respect, mon fi, ton papa te dit : respect,
parce que tu es un grand nègre. Oui, chapeau
bas devant toi, Manuel Jean-Joseph. Délira, tu
entends, mon garçon a trouvé l'eau. Lui tout
seul, avec ses propres mains. Je reconnais mon
sang, je reconnais ma race. Nous sommes comme
ça dans la famille : des nègres entreprenants et
c'est pas l'intelligence qui nous manque.

Il ne lâchait pas Manuel. Il bégayait, le regard
noyé :

— Ah, garçon, garçon...

Délira pressait ses mains contre son cœur. Elle regardait Manuel. Elle ne disait rien. Elle se sentait aussi faible que ce jour où il était venu au monde : elle sarclait dans le jardin et les douleurs l'avaient surprise. Elle s'était traînée jusqu'à la case, elle avait mordu ses cris dans la chair de son bras et il était né dans un immense déchirement de son être. Elle avait elle-même coupé le cordon, lavé et couché l'enfant dans du linge propre avant de se laisser couler au fond de ce puits noir d'où étaient venus la tirer plus tard la voix de Bienaimé et le bavardage des commères. Et aujourd'hui, il était devant elle, cet homme si grand, si fort, avec cette lumière sur son front, et qui connaissait le mystère du sommeil de l'eau dans les veines des mornes.

Il était près d'elle. Son bras embrassait ses épaules. Il lui demandait :

— Tu es contente, maman ?

Elle entendit une voix qui répondait, lointaine, lointaine, et c'était pourtant la sienne :

— Je suis contente pour nous, je suis contente pour la terre, je suis contente pour les plantes.

Le monde chavirait autour d'elle : la case, les arbres, le ciel. Elle dut s'asseoir.

Bienaimé pressait Manuel de questions :

— Raconte, mon fi. Où est-elle cette eau ? Comment est-elle ?

Et avec une brusque inquiètude :

— C'est pas une petite eau, au moins, un courant de rien du tout, juste bonne pour le boire ?

— Non, dit Manuel, c'est une eau consé-

quente. Faut voir l'endroit : c'est une grande
terrasse de terre blanche comme la craie ; ça
boit l'eau facilement cette qualité de terre, mais
l'eau a dû trouver plus loin du dur, du résistant,
alors elle a gonflé. Sûr que dans quelques années,
elle aurait crevé toute seule. Alors, ce qu'il y a
à faire, c'est d'abord planter une rangée de
poteaux, mais serrés, pour que ça tienne la
terre, parce que si on commence à fouiller dans
le plein du bassin, ce sera comme si on fêlait
une jarre et l'eau ira se perdre sans direction.
Après, on tracera un canal principal, dans la
traverse de la plaine et par les bayahondes, et
dans chaque jardin chacun tirera son canal à
lui, pour son arrosage. Quand le grand canal et
les autres seront prêts, on ouvrira le bassin. Il
serait bon aussi de nommer un syndic, avec la
confiance de tous les habitants, pour la distri-
bution de l'eau d'après le besoin de chaque
nègre, enfin, vous voyez, c'est un gros travail.

— Le syndic, ce sera toi, chef, dit Laurélien.
C'est tout voté.

— Tu l'entends, Délira? s'écria Bienaimé avec
un immense orgueil. Il a déjà tout calculé dans
sa tête et ce qu'il dit, c'est la raison même.

Mais une pensée sembla aussitôt l'assombrir :

— Tu as dit : tous les habitants. Tu ne
comptes pas... les autres.

Manuel s'attendait à cette question :

— Je peux parler clair, et selon la vérité ?
dit-il. Et vous-mêmes, vous m'écoutez, Maman ?
Compère Laurélien ?

— Nous écoutons, oui, Manuel.

— Bon, combien, de notre côté, sommes-nous
de nègres valides ? Attends.

Il compta sur ses doigts :

— Quatorze. Et les autres, les héritiers et partisans du défunt Dorisca, ça doit faire à peu près autant. Papa, maman : considérez bien ; compère Laurélien, réfléchis. Seuls, nous n'arriverons jamais à bout de ce travail : les poteaux à couper, à transporter, à planter ; un canal de bonne longueur par la plaine, et le bois à éclaircir pour le faire passer. Et puis l'eau, c'est pas une propriété, ça ne s'arpente pas, ça ne se marque pas sur le papier du notaire, c'est le bien commun, la bénédiction de la terre. Quel droit aurions-nous ?...

Bienaimé ne le laissa pas achever.

— Le droit que tu l'as trouvée, cria-t-il, le droit que les ennemis n'ont pas de droit.

Il fit un effort pour se maîtriser :

— Mais dis-moi franc ce que tu veux faire.

— Aller trouver les autres. Compères, je dirais, c'est vrai ce qu'on répète, oui, compères. J'ai trouvé une source qui peut arroser tous les jardins de la plaine, mais pour l'amener jusqu'icitte, faut le concours de tout le monde, un coumbite général, voilà ce qu'il faut. Ce qu'une main n'est pas capable, deux peuvent le faire. Baillons-nous la main. Je viens vous proposer la paix et la réconciliation. Quel avantage avons-nous d'être ennemis ? Si vous avez besoin d'une réponse, regardez vos enfants, regardez vos plantes : la mort est sur eux, la misère et la désolation saccagent Fonds-Rouge. Alors, laissez la raison parler. Le sang a coulé entre nous, je sais, mais l'eau lavera le sang et la récolte nouvelle poussera sur le passé et mûrira sur l'oubli. Il n'y a qu'un moyen de nous sauver, un seul, pas deux : c'est pour nous de reformer la bonne famille des habitants, de refaire l'assemblée des travailleurs de la terre entre frères et frères, de partager notre peine et notre travail entre camarades et camarades...

— Ferme ta grande gueule, palabreur, rugit Bienaimé. Je ne veux plus t'entendre. Et si tu continues, je te tannerai la peau, dans la mesure de ton dos, à coups de bâton.

Il brisa sa pipe en la lançant violemment sur le sol et partit à travers champs pour donner de l'air et de l'espace à sa rage.

La fureur de Bienaimé surprit les autres comme une averse. Ils gardèrent le silence. Délira soupirait, Laurélien soulevait ses lourdes mains et les regardait comme des outils étrangers, Manuel avait ce pli obstiné au coin de la bouche.

— Maman, dit-il à la fin, qu'est-ce que tu penses de tout ça ?

— Ah, mon fi, c'est que tu me demandes de choisir entre toi et Bienaimé.

— Non, mais entre la raison et la déraison, c'est une question de vie ou de mort.

Délira luttait avec elle-même, ça se voyait à son visage irrésolu, les mots s'arrêtaient à ses lèvres, ses doigts tourmentaient la cordelette de son scapulaire.

Mais il lui fallait bien répondre :

— Dorisca et Sauveur sont déjà cendre et poussière ; ça fait des années qu'ils reposent en paix ; le temps passe, la vie continue, J'ai pris grand deuil pour Sauveur, c'était mon beau-frère et un homme de bien, mais il n'y a jamais eu de place pour la haine dans le cœur de Délira Délivrance, le bon Dieu m'entend.

— Et toi Laurélien ?

— Je suis avec toi, chef. La réconciliation,

c'est la seule manière de sortir de cette situation. Et les autres accepteront aussi, si tu leur parles comme il faut, et je n'ai jamais vu un nègre à avoir la langue plus habile que toi. Quant à ça, oui.

Bienaimé était appuyé contre la barrière. Il leur tournait le dos ; il leur signifiait son refus.

Manuel dit :

— Ça sentait le pourri depuis quelque temps à Fonds-Rouge ; la haine ça donne à l'âme une haleine empoisonnée, c'est comme un marigot de boue verte, de bile cuite, d'humeurs rances et macérées. Maintenant que l'eau va arroser la plaine, qu'elle va couler dans les jardins, ce qui était ennemi redeviendra ami, ce qui était séparé va se rejoindre et l'habitant ne sera plus un chien enragé pour l'habitant. Chaque nègre va reconnaître son pareil, son semblable et son prochain et voici le courage de mon bras s'il te fait besoin pour travailler ton jardin et tu frappes à ma porte: honneur? et je réponds: respect, frère, entre et assieds-toi ; mon manger est prêt, mange, c'est de bon cœur.

Sans la concorde la vie n'a pas de goût, la vie n'a pas de sens.

— C'est une parole de vérité, approuva Laurélien.

— Je connais mes nègres, continua Manuel, ils ont l'entendement plus dur et récalcitrant que le petit-mil sous le pilon, mais lorsqu'un homme ne raisonne pas avec sa tête, il réfléchit avec son estomac, surtout s'il l'a vide. C'est là que je les toucherai : dans le sensible de leur intérêt. Je vais aller les voir et leur parler l'un après l'autre. On ne peut pas avaler une grappe de raisins d'un seul coup, mais grain par grain, c'est facile.

— Mais, restent les autres, fit Délira avec inquiétude.

— Les gens de défunt Dorisca ?

— Oui, mon fi.

Manuel sourit.

— Tu dis « les autres » comme s'ils étaient une escorte de démons. Eh bien, maman, je te dis en toute confiance, le jour n'est pas loin où il n'y aura plus ni « les autres » ni « nous-mêmes », mais seulement de bons habitants rassemblés pour le grand coumbite de l'eau.

— Je ne sais comment tu vas faire, mais prends tes précautions, oui. Avant-hier, dans la nuit, j'ai entendu un bruit dans la cour, je me suis levée et j'ai entr'ouvert la porte. Il faisait pleine lune. L'homme a dû entendre la clef mordre dans la serrure, parce qu'il s'en allait déjà ; je n'ai vu que son dos, mais c'était bien Gervilen, sa taille, sa démarche. Je pourrais sermenter si c'était pas un péché.

Manuel haussa les épaules avec insouciance :

— Probable qu'il était saoul. Il avait perdu son chemin. C'est tout.

Il n'avait parlé à Gervilen qu'une fois, dans le bois de bayahondes, le lendemain de son retour à Fonds-Rouge. Depuis, Manuel n'avait rien eu à démêler avec lui. Sauf que dernière-ment à la gaguière, l'autre l'avait étrangement fixé avec des yeux de braises rouges, mais c'était visible qu'il était plein de clairin comme une dame-jeanne, le pauvre couillon.

— Manuel a raison, dit Laurélien. Ce Gervilen est un nègre boissonnier ; le tafia a dû lui égarer l'esprit et il s'est perdu dans votre cour comme un voleur de poules.

Mais Délira ne semblait pas trop convaincue. L'homme qu'elle avait aperçu ne chancelait pas, il marchait droit et vite vers la barrière.

Laurélien serra la main de Manuel :

— Je vais annoncer la nouvelle, mais pour cette question de réconciliation, ce sera à toi de leur parler.

— *Bueno*, dit Manuel. Je les verrai plus tard.

— Serviteur, Délira, salua Laurélien.

— Adieu, ho, Laurélien, répondit la vieille. Elle fit, avec effort, un mouvement pour se lever. « Qu'est-ce qui m'arrive ? C'est comme si on m'avait passée au moulin. Je n'ai plus de forces. »

Manuel la retint :

— Attends un petit moment.

— Dis-moi, mon fi.

— L'autre jour, tu voulais savoir le nom de cette fille, pas vrai ? Eh bien, je vais te dire : c'est Annaïse.

— La négresse de Rosanna ? s'écria Délira.

— Elle-même. Mais tu as l'air toute bouleversée.

— C'est que c'est pas possible, Manuel. Songe donc, nous sommes ennemis.

— Dans quelques jours, il n'y aura plus d'ennemis à Fonds-Rouge.

— Et Bienaimé, tu crois qu'il sera d'accord ?

— Sûr. Naturellement, il va se mettre d'abord en colère, mais c'est lui qui apportera la lettre de demande à Rosanna. Demain, je vais l'acheter au bourg, et aussi le foulard de soie verte pour l'envelopper, en obéissance de la coutume des honnêtes gens. Reste à chercher la personne qui l'écrira. Moi, je ne suis pas trop fort de ce côté-là. Tu n'as pas une idée ?

— A gauche de l'église du bourg, sur la place du marché, il y a une maison à chambre haute couverte de tôle. Tu demanderas pour M'sieur Paulma, de la part de sa commère Délira. C'est un gros mulâtre qui a une boutique de quincaillerie. Tu le trouveras derrière son comptoir. Il connaît les écritures.

Elle sourit presque rêveusement :

— Ah Manuel, tu as choisi une belle fille, et sérieuse et travailleuse d'après ce que j'ai entendu. Je l'ai vue grandir et avant cette histoire de Dorisca et de Sauveur, elle m'aidait à porter mes calebasses, de retour de la source. Tantine, qu'elle m'appelait, voilà comment elle m'appelait. C'était une petite négresse bien respectueuse, cette Annaïse.

Je me mettrai à genoux, s'il le faut, devant mon vieux Bienaimé pour le supplier de ne pas être contrariant, et je prierai la Vierge des Miracles. Vierge des Miracles, je dirai, prête ton secours à mes enfants, mets la main sur leur tête pour les protéger contre le malheur et guide leurs pas dans la vie, parce que la vie est difficile et la misère est grande pour nous autres, pauvres habitants.

— Merci, maman, chère maman, dit Manuel.

Il baissa la tête pour cacher son émotion.

— Lorsque tu auras fini de comploter avec lui, Délira, tu iras m'acheter une autre pipe, chez Florentine.

C'était Bienaimé qui revenait. Il n'avait pas l'air commode, Bienaimé. Ça s'entendait à sa manière de mâcher les mots.

— Oui, Bienaimé, s'empressa Délira, oui, papa, je vais aller tout de suite.

*
* *

Avant midi, le bruit que Manuel avait découvert une source s'était répandu à travers le
village. Nous avons un mot pour ça, nous autres
nègres d'Haïti : *le télégueule* que nous disons, et
faut pas plus pour qu'une nouvelle, bonne ou
mauvaise, véridique ou fausse, agréable ou malveillante, circule de bouche en bouche, de porte
en porte et bientôt, elle a fait le tour du pays,
on est tout étonné, tellement c'est rapide.

Et comme Fonds-Rouge n'était pas bien
grand, ça avait couru aussi vite qu'un feu de
boucan dans l'herbe sèche et à l'heure où le
soleil donnait en plein sur la plaine, les habitants ne parlaient que de l'événement, les uns
assurant que c'était vrai, d'autres que non, certains allant jusqu'à affirmer que ce Manuel avait
rapporté de Cuba un bâton magique qui décou-
vrait les sources et même les trésors, enfin chacun ajoutait un peu de son sel et assaisonnait
la nouvelle à son gré.

Annaïse avait bien rempli la mission que
Manuel lui avait confiée. Elle avait été, de case
en case, causer aux commères. Quelques-unes
s'étaient montrées rétives, mais le plus grand
nombre, avec des soupirs et des ah Dieu bon
Dieu, s'étaient mis à supputer le changement et
le bénéfice que l'arrosage apporterait et combien
de maïs pourrait donner le jardin, combien de
petit-mil et de vivres, et quel prix ça ferait au
marché, et j'ai bien besoin de quelques aunes
de toile pour une robe, et mon homme d'un
pantalon et d'une vareuse, quant aux enfants,
pas la peine d'en parler, ils vivaient quasiment
tout nus que c'était une honte et un péché,

d'autant plus que malgré la misère et la maladie
ils poussaient dru comme la mauvaise herbe.
(C'est rebelle à périr, le nègre. C'est dur comme
pas un.)

Pour les hommes, on ne savait pas. Il y en
avait qui s'étaient réunis chez Larivoire, un
homme d'âge, un notable réputé par son bon
conseil. Même qu'on avait vu Similien, son
garçon, sortir de chez Florentine avec une bouteille de clairin, parce que, c'est connu, le clairin
ça rend la langue légère et les idées plus liantes.

Antoine s'était amené, clopinant aussi vite
qu'il le pouvait, chez Bienaimé. Il rayonnait.
Il n'avait que le mot : coumbite, à la bouche,
il prétendait qu'il composerait une chanson sur
Manuel, que de mémoire d'homme, on n'en avait
jamais entendu de plus belle ni de plus échauf-
fante pour le travail.

Mais Bienaimé l'avait envoyé à tous les diables. Ça n'avait pas gâté l'humeur d'Antoine. En
ce moment, assis devant sa porte, il resserrait
les cordes de son tambour, pour lui donner la
bonne tension, pour que les sons puissent porter
au loin et bourdonner sur toute la plaine le message que la bonne vie recommençait.

— Eh Simidor, se parlait-il à lui-même. A
voir si tu n'es pas rouillé, à voir si tes doigts
ne sont pas engourdis, à voir si ta tête a encore
autant de chansons qu'un rucher de miel.

Il essayait le tambour, prêtait l'oreille : sa
bouche édentée riait largement.

Bientôt, il conduirait l'escouade des habitants,
tambour en bandoulière, dans le matin levant

Déjà les mots se mettaient à se greffer sur la
cadence d'un air naissant :

Général Manuel, salut ho, salut ho.

Sa voix dirigeait la retombée des houes :

Salut ho
Salut ho

Des enfants accoururent pour l'entendre, ils l'entourèrent, mais il chassa ces petits nègres, il voulait être seul et que rien ne le dérangeât tandis que le chant mûrissait dans le battement du tambour.

XI

Manuel avait entrepris les habitants, l'un après l'autre. Pendant des années, la haine avait été pour eux une habitude. Elle avait donné un objet et une cible à leur colère impuissante contre les éléments. Mais Manuel avait traduit en bon créole le langage exigeant de la plaine assoiffée, la plainte des plantes, les promesses et tous les mirages de l'eau. Il les avait promenés d'avance à travers leurs récoltes : leurs yeux brillaient, rien qu'à l'entendre. Seulement, il y avait une condition : c'était la réconciliation. Et qu'est-ce que ça leur coûtait ? Un geste à faire, quelques pas comme pour enjamber un pont et on laissait derrière soi les mauvais jours de misère, on entrait dans l'abondance. Hein, compère, que dis-tu ? L'autre, pieds nus dans la poussière, les hardes déchirées, amaigri et affamé, écoutait en silence. C'est vrai qu'on était fatigué de cette vieille histoire. A quoi ça servait à la fin des fins ? Si on faisait chanter une messe en même temps pour Dorisca et Sauveur, pour le repos de leurs âmes ? Ça les réconcilierait eux aussi dans la tombe et ils laisseraient les vivants tranquilles. Parce que c'est ennuyant les morts mécontents, c'est même

dangereux. Ce qui était sûr et certain, c'est
qu'on ne pouvait pas se laisser périr. Alors ?
Alors, puisque c'est comme ça, on est d'accord.
mais qui ira parler aux autres ? Moi, répondait
Manuel.

... Les autres s'étaient réunis chez Larivoire.
La nouvelle était grave, elle demandait conseil.
Larivoire caressait les quelques poils de sa barbe
de bouc. Son regard était calme et rusé, sa
bouche prudente : ce qu'il voyait, il le mesurait,
ce qu'il disait, il l'avait d'abord pesé d'après le
pour et le contre. Son grand âge lui avait ensei-
gné cette sagesse. Dans la querelle sanglante qui
divisait Fonds-Rouge, il n'avait pris parti que
par des raisons de parenté, mais il l'avait fait
avec modération, se gardant d'exciter les esprits,
les apaisant au besoin. Sa parole était écoutée
et respectée ; son avis avait la valeur d'une
sentence.

— Comme quoi, ils vont avoir de l'eau, fit
Mauléon.

Il n'en dit pas plus. Son regard alla, au-delà
de la grand-route, vers son champ accablé de
soleil. Il devait quinze piastres à Florentine.
Hilarion réclamait en paiement sa jument baie.
Une si bonne bête et qui valait quatre fois plus.
Et Cia, sa femme, couchée avec cette fièvre qui
la rongeait, et toutes les médecines n'avaient
servi à rien pour l'arrêter. Dorméus prétendait
qu'un malfaisant avait *jeté* un mort sur elle ;
il demandait une quantité d'argent pour l'en
débarrasser, le rapace. Oui, on avait son compte
de tracas, on pouvait le dire.

Le soleil traversait les feuilles de palmiers
qui couvraient la tonnelle et dessinait sur le sol
une natte rayée. Une bouteille de clairin et des

godets émaillés étaient posés sur la table mal rabotée.

Pierrilis se servit, versa quelques gouttes par terre et s'envoya le reste d'une seule rasade.

— Savoir si c'est vrai ? demanda-t-il.

Il s'essuya la bouche du revers de la main.

— Oui, répéta-t-il, savoir si la nouvelle est vraie.

Larivoire bascula sa chaise en arrière, l'appuyant du dossier contre un poteau de la tonnelle. Il plissa les paupières. Sur la savane, la lumière faisait une danse d'aiguilles chauffées à blanc : c'était insupportable.

— La menterie, dit-il, c'est comme de l'argent placé à intérêt. Faut que ça rapporte. Quel intérêt ce Manuel aurait à mentir ? Quel bénéfice ça lui rapporterait ?

— Alors, ils vont pouvoir arroser leurs jardins, soupira Termonfis.

— Et nous autres, nous resterons à les regarder, le bec sec, fit Ismaël.

Accroupi sur ses talons, Gervilen ne disait rien. Ses petits yeux enfoncés sous l'abri des sourcils couvaient un feu inquiétant.

— Ils ont de la chance, les maudits, murmura Josaphat.

Il venait de se placer à une jeune négresse de Mahotière. Depuis deux jours, ils ne vivaient que de biscuits rassis trempés dans un peu de sirop. Elle ne se plaignait pas, Marianna, mais elle était silencieuse comme une ombre. C'était pire que tous les reproches.

— Non, cria Nérestan.

Il abattit son poing de toute sa force sur la table.

— Je dis : non.

Sa poitrine épaisse haletait. La sueur baignait sa face.

— Non, quoi ? demanda Larivoire tirant sur les poils de sa barbe.

Nérestan se rassit.

Les discours, ça n'avait jamais été son fort. De là, sa violence de taureau sauvage. Ce qu'il ne pouvait expliquer avec les mots, il te le mettait sous le nez avec son poing. Ses mains étaient comme des battoirs à lessive, capables de bleuir un homme, sans indigo.

Il y eut un silence. Le coq de combat de Larivoire battit ses ailes couleur de cannelle, et chanta. D'autres coqs au fond des cours environnantes lui répondirent.

— Plutôt quitter Fonds-Rouge, dit Josaphat, que de rester à les regarder jouir de la vie, pendant que nous autres nous continuerons à manger la misère.

— Tu vas donc aller sur les grands chemins demander la charité de porte en porte ? ricana Louisimé Jean-Pierre.

— Mon jardin donnait trente sacs de maïs bien comptés, dit Ismaël. Quant aux patates, il y en avait assez pour engraisser les cochons. La terre est toujours là, une bonne terre qui n'attend qu'un peu d'eau. Depuis combien de saisons la pluie n'est pas tombée, je me demande.

— Tout ça, c'est des causers inutiles, l'interrompit Mauléon. Qu'est-ce que nous allons faire?

— Il n'y a rien à faire, dit Josaphat, haussant les épaules avec découragement.

— Est-ce que vous êtes des hommes ou des chiens ?

Gervilen avait bondi. La grande rage le secouait. Ses yeux lançaient des étincelles dans

le charbon de sa face. Un peu d'écume blanchissait sa bouche.

— Assis là comme des vieilles femmes à
égrener le chapelet de leur misère. Pas un seul
nègre vaillant parmi vous tous.

Il cracha avec mépris :

— Bande de capons.

Nérestan se leva. Il dominait Gervilen d'une
taille.

— Tu n'as pas le droit, non, pas le droit,
bégaya-t-il.

— Chita (1), gueula Gervilen.

A l'étonnement des autres, Nérestan obéit. Il
se balançait sur sa chaise comme un ours, la
tête rentrée dans les épaules.

— Je vais vous dire ce que nous allons faire.

La voix de Gervilen était maintenant âpre et
grinçante comme une râpe. Les mots passaient
avec effort entre ses dents serrées :

— Nous prendrons l'eau, nous la prendrons
de force.

— Parlez-moi de ça, garçon, exulta Nérestan.

Un tumulte s'éleva. Chacun voulait se faire
entendre. Des femmes sortirent devant leurs
barrières pour voir ce qui se passait.

Larivoire leva les bras :

— Je parle, dit-il.

Il attendit que le vacarme s'apaisât.

— Je parle. Et vous feriez bien de m'écouter
si vous voulez éviter un malheur. Toi, Gervilen,
tu as hérité du défunt Dorisca un sang trop
chaud. C'est pas pour te faire un reproche. Mais
depuis que tu étais un jeune bougre, tu montrais
déjà ce caractère. Ma commère Miramise, ta

_____
(1) Assieds-toi.

maman, aurait dû te fustiger, mais le macaque
ne trouve jamais que son petit est laid, soit dit
sans te fâcher. Tu parles de prendre l'eau de
force, mais la force reste toujours à la loi. Vous
finirez tous en prison.

Il y a une autre nouvelle. Elle est d'importance. Annaïse est venue voir ma madame pas
plus tard que ce matin.

Au nom d'Annaïse, Gervilen tressaillit de tout
le corps et ses traits se figèrent comme taillés
dans une roche noire.

— Elle est donc venue, Annaïse, et, paraît
que, d'après ce qu'elle a entendu, il faudrait
pour amener l'eau jusqu'à la plaine, un coumbite
de tous les habitants de Fonds-Rouge, parce
que c'est une grosse corvée, un travail trop
difficile que les gens de ce Manuel ne pourraient
pas réussir pour leur propre compte. Alors, s'il
n'y a pas de réconciliation l'eau restera là où
elle est. Forcément.

Gervilen éclata de rire. Son rire était effrayant
à entendre. C'était comme si on déchirait une
feuille de tôle rouillée.

— Mais, est-ce que vous ne voyez pas, cria-
t-il, que Manuel et Annaïse, c'est des complices.

— Attention, dit Gille, tu parles de ma sœur.

— Ferme ta gueule, imbécile, hurla Gervilen.

— Cousin... dit Gille, d'une voix lente et
comme endormie.

Sa main saisit brusquement la poignée de sa
machette.

— Est-ce que vous êtes fous ?

Larivoire s'était jeté entre eux.

— Nègres sans respect, ah nègres malédic-
tionnés. Vous voulez donc faire couler le sang

dans ma case, sans considération pour mes cheveux blancs.

— Excusez, dit Gille, c'est lui qui a injurié
ma sœur.

— J'ai dit la vérité, répliqua Gervilen, et si
elle a un goût de sang, la vérité, tant pis, tant
pis trois fois.

— Toi, Gervilen, mets-toi là ; Gille, chita
icitte, commanda Larivoire.

Il se tourna vers les habitants :

— Vos oreilles ont entendu. Que dites-vous ?

— Frères, cria Gervilen, on veut vous acheter,
on veut troquer votre conscience contre un peu
d'eau.

— Paix, donc, dit Larivoire. Laisse parler les
autres.

Mais les habitants se taisaient. Ils sentaient
sur leurs visages le regard de Gervilen ronger
son chemin jusqu'au fond de leur pensée.

L'eau. Son sillage ensoleillé dans la plaine ;
son clapotis dans le canal du jardin, son bruissement lorsque dans sa course, elle rencontre
des chevelures d'herbes ; le reflet délayé du ciel
mêlé à l'image fuyante des roseaux; les négresses
remplissant à la source leurs calebasses ruisselantes et leurs cruches d'argile rouge ; le chant
des lessiveuses ; les terres gorgées, les hautes
récoltes mûrissantes.

Ils se débattaient contre la tentation.

— Ça demande réflexion, murmura Ismaël.

— Il y a des nègres, c'est sans sentiments
comme les chiens, dit Gervilen amèrement.

Ismaël ne répondit pas : « Trente sacs de
maïs, songea-t-il, et les patates, les vivres. »

Et les autres habitants calculaient aussi le
rendement possible de leurs champs et faisaient

des projets et escomptaient l'avenir. Mais ils
n'osaient rien dire. La présence de Gervilen les
gênait. Il était campé au milieu d'eux. Son
regard courait de l'un à l'autre comme un rat
furieux.

Larivoire se rendit compte de leur irrésolu-
tion :

— Bon ; rien ne presse. Au contraire, faudra
examiner cette question à tête reposée. Demain-
si-dieu-veut, nous nous réunirons pour prendre
une décision.

Les habitants se levèrent. Farouche, Gervilen
partit le premier sans saluer personne, pas même
Larivoire.

A la barrière, Nérestan le rejoignit et avec
cette voix humble que prennent les géants pour
parler aux petits hommes qui leur en imposent :

— Compère Gervilen, j'ai quelque chose à te
dire.

— La merde, répondit l'autre, sans se retourner.

XII

De son côté, Bienaimé se montrait intraitable.
C'est à peine s'il adressait la parole à Manuel
et encore rien que pour lui commander : « Fais
ceci, fais cela ; amène-moi la génisse peintelée :
je vais la vendre moi-même à Pont Beudet. »

Par Annaïse, Manuel avait appris ce qui s'était
passé chez Larivoire. Gille était rentré étouffant
de colère contre Gervilen et ne parlant que de
lui couper la tête au ras du cul pour le guérir
de son insolence. La grosse Rosanna qui voyait
déjà son garçon aux mains des gendarmes en
avait eu un saisissement. Elle avait perdu connaissance, ce qui avait effrayé Gille au possible
et du même coup l'avait calmé. Mais il se décla-
rait partisan de la réconciliation ; il s'était mis
en campagne pour persuader les autres, les
jeunes, et il avait réussi plus ou moins à entraî-
ner Mauléon, Ismaël, Termonfils et Pierrilis.
Larivoire les encourageait en sourdine. Il n'y
avait de vraiment contre que Gervilen et Nérestan. Les autres hésitaient encore, mais de plus en
plus faiblement, car ce que Manuel avait prévu,
était arrivé : les négresses avaient commencé à
leur rendre la vie impossible. Elles les harce-
laient sans répit, bourdonnant à leurs oreilles

mille questions et quantité de plaintes : elles étaient pires que des guêpes. Ils avaient beau leur échapper pour aller avaler un peu d'air ou bien un grog dans la boutique de Florentine, à leur retour elles les attendaient à la barrière ou sur le pas de la porte et les récriminatons reprenaient de plus belle.

Louisimé Jean Pierre s'était impatienté et avait même fait le geste d'imposer silence à sa négresse déchaînée d'une calotte bien appliquée, mais celle-ci avait menacé de héler : « à l'assassin » et de crainte du scandale, Louisimé s'était abstenu, ce qui lui avait laissé une démangeaison au creux de la main.

Alors l'autre, voyant son triomphe, s'était mise à l'embêter avec toutes sortes de proverbes, comme quoi les dents pourries n'ont de force que sur les bananes mûres, ce qui voulait dire qu'il ne la traitait ainsi que parce qu'elle était une femme faible et sans défense ; elle avait continué sur ce ton pendant un bon moment, de telle manière qu'à la fin Louisimé n'avait pu se retenir et lui avait lâché son paquet roidement en travers de son moulin à paroles, et voilà qu'au lieu d'ameuter le quartier, elle avait fondu en larmes, ce qui avait ramolli le cœur de Louisimé et l'avait rendu tout honteux et regrettant.

Jusqu'à Marianna, la femme de Josaphat, qui était sortie de son mutisme :

— A Mahotière, disait-elle, nous avons de l'eau, nous autres. Mais pour les jardins, l'arrosage n'est même pas nécessaire. La fraîcheur suffit, la rosée du matin. Au réveil, tout est brillant et mouillé. Faut voir ça : c'est comme une écume de soleil.

Elle soupirait :

— Oui, mes amis, la vie est facile à Mahotière, grâce à Dieu, oui.

Josaphat lui demandait :

— Que penses-tu de cette histoire de réconciliation ?

— Vous êtes les maîtres, vous autres les
hommes. Ce sera comme vous déciderez.

Ils étaient dans la case. Il l'attira à lui, sa
jeune négresse, il la pressa dans ses bras.

— Josaphat, mon homme, dit-elle, depuis
plusieurs jours, je voulais te l'annoncer. Je suis
enceinte, cher. Mais je n'aurai jamais la force
de porter ce petit jusqu'au bout, si nous conti-
nuons à vivre dans cette misère.

Josaphat la lâcha, le front barré d'une ride.

— Alors, tu crois que...

— Oui, dit-elle fermement.

Il sembla réfléchir, puis sa face s'éclaira :

— C'est lui qui commande, ce petit nègre.
J'irai dire oui à Gille.

— C'est la vie qui commande, dit Marianna,
et l'eau, c'est la réponse de la vie.

... De telle sorte que les choses avaient l'air
de s'arranger et de prendre le bon pli. Gervilen
le sentait bien et se répandait en imprécations.
D'ailleurs, depuis la réunion chez Larivoire, il
ne désoûlait pas. Nérestan lui tenait compagnie. Mais à l'encontre de Gervilen, le tafia
disposait Nérestan à prendre la vie du côté
plaisant. Il ne lui restait rien de sa violence. Il
devenait maniable comme une barrique. On
n'avait qu'à le pousser sur la pente, et il roulait
jusqu'au fond d'une ivresse béate. Gervilen
avait essayé de l'exciter. Rien à faire. L'autre
ouvrait sa grande gueule et riait. De quoi ?

D'une histoire qu'on lui avait racontée dans le temps. Il l'avait oubliée, mais il était sûr qu'elle était drôle. A la fin, Gervilen l'avait injurié, et Nérestan était parti très vexé, penchant sous l'effet des grogs comme un mât de voilier par grosse bourrasque et répétant à tous ceux qu'il rencontrerait que seul son bon caractère l'avait empêché, lui Nestor Nérestan, d'écraser Gervilen comme une puce...

Naturellement que toute l'affaire était parvenue aux oreilles d'Hilarion. Ça ne lui avait pas fait plaisir, non pas du tout. Ce Manuel dérangeait ses plans, et comment. Si les habitants arrivaient à arroser leurs terres, ils refuseraient de les céder, en paiement des dettes et des emprunts à taux usuraires qu'ils accumulaient chez Florentine. Il fallait foutre le Manuel sous clef, dans la prison du bourg, et lui faire dire où se trouvait la source. On avait les moyens de le faire parler. Ensuite, on laisserait les habitants sécher dans l'attente et quand ils auraient perdu courage et tout espoir, lui Hilarion, leur raflerait leurs jardins et deviendrait propriétaire de quelques bons carreaux de terres bien arrosées. L'ennuyant était qu'il faudrait partager avec le lieutenant et le juge de paix. C'était des voraces. Mais Hilarion se débrouillerait pour avoir la meilleure part.

La première chose à faire, c'était de s'assurer de Manuel. De toute manière, c'était un mauvais élément, un nègre dangereux qui causait des paroles de rébellion aux habitants.

— Tu feras ton devoir, lui dit Florentine, une ancienne jeunesse de la Croix des Bouquets qu'Hilarion avait ramassée dans la rigole et que l'ambition d'argent dévorait comme une fièvre

maligne ; ce Manuel est contre la loi et l'ordre
établi, il est contre le Gouvernement.

— La main sur la conscience, jura Hilarion,
et il couvrit d'une large patte poilue la plaque
d'officier de la police rurale qui brillait sur sa
poitrine, — la main sur la conscience et en
vérité de Dieu, c'est mon devoir.

... Qui dirait que la vie allait bientôt renaître
à Fonds-Rouge ?

Dans le flamboiement de l'après-midi, le
morne se dressait avec ses flancs saignés à blanc
par la coulée des roches. Les arbres-à-pain,
malades de sécheresse, servaient de perchoirs
aux corbeaux. Quand leurs croassements véhéments, pour un instant, s'apaisaient, on entendait dans les bayahondes le cri essoufflé des
pintades. La mare Zombi exhalait une odeur
chaude et décomposée que le vent rabattait
vers le village avec des nuées de maringouins.

— Est-ce qu'il est bien sanglé ? cria Bienaimé.

— Oui, répondit Manuel, tirant une dernière
fois sur la courroie.

Délira leva la tête vers le soleil :

— Tu arriveras avant la nuit tombée.

Elle soupira. Elle avait tout fait pour le
décourager d'entreprendre ce voyage.

L'alezan bancal que Dorismond avait prêté
pour l'occasion attendait sous le calebassier.
Bienaimé mit le pied à l'étrier et se hissa en
selle avec un peu d'effort. Cette selle était la
dernière splendeur qui lui restait. Mais la cha-
braque manquait. Un sac la remplaçait.

— Adieu, Délira, dit Bienaimé.

Et à Manuel :

— Détache la bête. Baille-moi la corde. Va
ouvrir la barrière.

— Adieu, mon homme, dit Délira.

Bienaimé cliqua de la langue et poussa l'alezan d'un coup de talons. La génisse suivit docilement.

Manuel avait enlevé les bambous épais qui servaient de barrière.

— Fais bonne route, oui, papa, dit-il.

— Merci, répondit Bienaimé sèchement, sans le regarder.

Manuel revint vers la case. Les mabouyas (1) traînaient leurs ventres gras et mous dans la poussière du sentier et s'élançaient en se poursuivant, sous la clôture de chandeliers, dans le jardin abandonné aux charbons.

— Pour un entêté, c'est un entêté, se plaignait la vieille. Comme si tu n'aurais pas pu t'occuper de cette vente à sa place. C'est qu'il ne se rend pas compte de son âge ? Voilà qu'il va être obligé de passer la nuit à Beudet, sous une galerie quelconque et la fraîcheur du serein ne vaut rien pour ses rhumatismes. Sans compter qu'il aura à refaire demain après-midi, toute cette longue route. En vérité, ce Bienaimé est un nègre déraisonnable.

Malgré que Manuel eût désiré éviter à son père les fatigues de ce voyage, il n'avait pas beaucoup insisté pour le persuader d'y renoncer. Il voulait profiter de son absence pour se rendre à la réunion qui aurait lieu, le soir même, chez Larivoire, surprendre les habitants par sa présence inattendue, ne pas leur laisser le temps de se reprendre et les convaincre qu'il n'y avait pas d'autre issue à leur situation que la réconciliation.

(1) Lézards.

Pour occuper son impatience, il se mit à tresser un chapeau de latanier. Sa mère s'assit près de lui, sous la galerie.

— Ce grand'matin, fit-elle, j'ai rencontré Annaïse. Elle allait sûrement à Mahotière pour la lessive : elle portait un panier rempli de hardes. Et elle m'a dit bonjour ; bonjour maman, qu'elle m'a dit.

Les doigts diligents de Manuel laçaient et entrelaçaient la paille.

— Et tu sais ce que je lui ai répondu ? Bonjour, belle-fille, que je lui ai répondu. Elle m'a montré ses dents dans un sourire. En voilà de belles dents blanches, en voilà de grands yeux, en voilà une peau noire fine comme la soie, et avec ça, c'est une négresse à longues tresses : je l'ai vu à une mèche de ses cheveux qui dépassait de son mouchoir. En vérité, le bon Dieu l'a agrémentée de ses propres mains.

Mais, tu vois, ce qui compte vraiment, c'est pas si tellement une belle figure, c'est les bonnes mœurs et cette Annaïse a l'air bien comme il faut, on ne peut pas prétendre le contraire. Ces jours-ci, c'est pas facile à trouver, non. Il y en a trop parmi ces jeunes négresses qui ont perdu le respect pour les coutumes des anciens. La ville leur a tourné la tête. On dirait qu'on leur a frotté la plante des pieds avec du piment. Elles ne tiennent plus en place, les dévergondées. La terre n'est plus bonne pour elles, elles préfèrent aller travailler comme cuisinières chez les mulâtres riches. Comme si c'était une chose à faire.

La vieille fit une moue de mépris :

— Un péché, moi je dis que c'est un péché, c'est ce que je dis moi-même.

**

... Compère, tu ne connais pas la source de Mahotière ? C'est que tu n'es pas de ces parages, frère. Dans l'entre-jambes du morne, qu'elle coule, cette source. Tu quittes les cases et les jardins et par la facilité de la pente, tu arrives à la ravine. C'est une ravine fraîche à cause d'une falaise escarpée et des branchages de mombins qui l'ombragent. Les fougères, il y en a partout où suinte l'humidité et une natte de cressons et de menthes trempe dans le courant ralenti. Sous les roches, on pêche des écrevisses, pas de très grosses, et elles sont de la couleur de l'eau ensoleillée, pour qu'on les voie moins, ces bêtes rusées, mais on les attrape par paniers, et avec du riz c'est un bon manger, tu peux me croire.

On dirait que le soleil prend plaisir à jouer sur les galets et l'eau fait un bavardage continuel qui se mêle au claquement des battouels des lessiveuses sur le linge mouillé, ça fait une rumeur intarissable, un murmure rieur qui accompagne le chant des négresses.

Non, ils ne sont pas à plaindre, ceux de Mahotière. Ils ont toutes leurs nécessités : une terre rouge et grasse étagée en platons, bonne pour tous les vivres. Les avocatiers, les manguiers protègent les cases contre les ardeurs du jour et sur les clôtures, on voit courir ces grappes de clochettes roses, comment les appelle-t-on déjà ? les belles mexicaines, voilà comment on les appelle.

Mais la grande chance de ses habitants, c'est la source. Il n'y a pas, dans tous les alentours, d'eau meilleure ni plus claire pour le boire, et

vers Plaisance, dans la courbe ouverte de la
ravine, elle gagne le plat de la plaine où les
nègres de l'endroit l'ont étalée pour leurs
rizières.

Les vieux de Mahotière racontent comme ça
que la Maîtresse de l'Eau est une femme mulâ-
tresse. A minuit, elle sort de la source et chante
et peigne sa longue chevelure ruisselante que ça
fait une musique plus douce que les violons.
C'est un chant de perdition pour celui qui
l'entend, il n'y a pas de signe de la croix ni
d'au nom du Père qui puisse le sauver, son
maléfice le prend comme un poisson dans une
nasse et la Maîtresse de l'Eau l'attend au bord
de la source et chante et lui sourit et lui fait
signe de la suivre au fond des eaux d'où il ne
remontera jamais.

Annaïse a étalé ses hardes à sécher sur les
galets : ses robes, ses madras bleus, violets,
rouges, enfin toutes ses affaires ; les pantalons
de Gille, son frère, avec de larges rapiéçages, là
où ce serait une honte s'ils manquaient ; les
jupons à volants de dentelle de Rosanna, comme
en portent les personnes d'âge sérieux, et les
mouchoirs blancs, qu'il faudra bien empeser à
l'amidon et que coiffe sa mère pour aller au
bourg, avec son châle noir.

Elle penche la tête sur sa lessive, ses mains
actives tordent le linge et font gicler le savon.
Elle ressemble à une reine de Guinée, Annaïse,
avec ses reins cambrés, ses seins nus, durs et
dressés, sa peau si noire et lisse.

Sa cousine Roselia lave à ses côtés. Elle parle
sans arrêt, elle raconte les histoires de Fonds-
Rouge, celles qui sont vraies et celles qu'elle
invente. C'est une langue piquante, cette Roselia.

Mais Annaïse l'entend sans l'écouter. Ses pensées sont auprès de Manuel.

« Manuel, cher », songe-t-elle, et une vague de chaleur l'envahit, une défaillance si douce qu'elle voudrait fermer les yeux, comme lorsque hier au soir, il l'avait caressée et elle se sentait aller à la dérive d'un courant brûlant où chaque vague était un frémissement de son corps, et il la couvrait tout entière, il se mêlait à elle et elle ne quittait sa bouche que pour crier ce chant déchirant de son sang qui jaillissait du secret de sa chair et s'épanouissait en une plainte heureuse et délivrée.

« Je suis sa femme », pense-t-elle et elle sourit. « Il a fallu que tu fasses tout ce long chemin de Cuba à icitte pour me trouver. C'est une histoire qui commence comme un conte : il y avait une fois, mais c'est un conte qui finit bien : je suis ta femme, parce que, ah Dieu, il y en a où c'est plein de mort et de désastres. »

— Tu ne travailles plus, tu es fatiguée ? lui demande Roselia.

Annaïse secoue la tête comme au sortir d'un rêve.

— Non, cousine, dit-elle.

Elle saisit le battoir et frappe sur le linge. L'indigo déteint dans le courant et prend le fil de l'eau.

Roselia a déjà quatre enfants. Sa poitrine est sèche et flétrie. Elle regarde avec envie les seins gonflés d'Annaïse, leurs pointes mauves comme du raisin.

— Tu devrais te marier, fait-elle.

— Moi ? dit Annaïse, j'ai tout le temps devant moi.

Elle étouffe un petit rire que l'autre prend

pour la timidité des jeunes négresses, mais c'est
un rire qui veut dire : pour une surprise, ce sera
une surprise quand vous me verrez dans ma
case avec mon homme Manuel, et il y aura des
lauriers dans notre jardin et des roseaux le long
du canal.

*
* *

...Le jour a pris fin avec la brune, le ciel s'est
brouillé, le morne s'est effacé, le bois est entré
dans l'ombre, une mince serpette de lune s'est
mise à voyager dans les nuages et la nuit est
venue.

L'un après l'autre, les foyers des cuisines se
sont éteints ; on entend une voix de femme
mécontente qui hèle son petit nègre attardé dans
la cour par un besoin malgré la grand-peur du
loup-garou ; un chien hulule, un deuxième lui
répond et de porte en porte un concert d'aboie-
ments s'organise.

Le moment du repos est arrivé où chacun va
s'étendre sur sa natte, fermer les yeux, essayer
d'oublier sa misère dans le sommeil.

Fonds Rouge s'endort dans le noir ; il n'y a
pas une lumière, sauf chez Larivoire : un lumignon planté au milieu de la table, sous la tonnelle, et quelques habitants sont déjà là : le
maître de la case, Similien son garçon, Gille,
Josaphat, Ismaël, Louisimé. Les autres viendront sans retard.

Manuel le sait et il attend.

— Dis-moi, Manuel, tu dors, Manuel? demande
sa mère de la chambre voisine.

Assis sur le lit, il ne répond pas ; il fait semblant. Seule, brûle faiblement devant l'image

d'un saint, la mèche trempée dans l'huile de
palma-christi de la lampe éternelle. Un souffle
d'air passe sous le battant mal joint de la
fenêtre, fait remuer la flamme et avive les couleurs déteintes. C'est l'image de Saint-Jacques
et en même temps c'est Ogoun, le dieu daho-
méen. Il a l'air farouche avec sa barbe hérissée,
son sabre brandi, et la flamme lèche le bariolage
rouge de son vêtement : on dirait du sang frais.

Dans le silence, Manuel entend sa mère se
retourner sur la paillasse, chercher la bonne
place pour le sommeil. Elle murmure des paroles
qu'il ne comprend pas, une oraison peut-être,
une dernière prière : c'est une personne qui est
à tu et à toi avec les anges, Délira.

Le temps passe et Manuel s'impatiente à la
fin. Il va à la porte et écoute.

— Maman, appelle-t-il doucement.

Une respiration apaisée lui parvient. La vieille
est endormie.

Manuel ouvre la fenêtre avec beaucoup de
précaution. Les gonds rouillés grincent un peu.
il se glisse dans la nuit. Le petit chien le recon-
naît sans aboyer et trotte un moment sur ses
talons. Il fait noir comme chez le diable. Heureusement qu'un petit filet de lune coule sur le
sentier. Les chandeliers dressent un mur de
ténèbres le long du jardin. Les criquets criaillent
dans l'herbe. Manuel enjambe les nattes de la
barrière. Il est sur la grand-route.

Il n'y a pas loin jusqu'à la case de Larivoire.
La lumière lui fait signe et le guide. Il passe
devant chez Annaïse. « Bonsoir, ma négresse »,
pense-t-il. Il l'imagine couchée, le visage sur son
bras replié, et un grand désir d'elle le prend.
Cette semaine, Bienaimé et Délira apporteront

à Rosanna la lettre de demande. Quelles belles
paroles il avait écrites ce M'sieur Paulma. Il les
avait lues à haute voix pour Manuel, se passant
de contentement la langue sur les lèvres, comme
si du sirop lui coulait de la bouche. Et ensuite,
il lui avait offert un rhum, un rhum fin, en vérité.
Il avait toujours regretté, Manuel, de ne pas
savoir les écritures. Mais lorsque l'existence,
grâce à l'arrosage sera devenue meilleure, on
demandera au Magistrat Communal du bourg
d'installer une école à Fonds-Rouge. Il propo-
serait aux habitants de bâtir de bonne volonté
une case pour l'abriter. C'est nécessaire l'instruction, ça, aide à comprendre la vie. Témoin
ce compagnero à Cuba qui lui parlait politique,
au temps de la grève. Il en savait des choses,
el hijo de... su madre (1), et les situations les
plus embrouillées, il te les démêlait que c'était
une merveille ; tu voyais devant toi chaque
question alignée sur le fil de son raisonnement
comme du linge rincé accroché à sécher au
soleil ; il t'expliquait l'affaire si clair que tu
pouvais la saisir comme un bon morceau de
pain avec la main. Il te la mettait comme qui
dirait à ta portée. Et si l'habitant allait à l'école,
certain qu'on ne pourrait plus si facilement le
tromper, l'abuser et le traiter en bourrique.

Il arrive devant la barrière de Larivoire. La
nuit l'enveloppe. Les habitants font cercle sous
la tonnelle. Gervilen parle. Les autres l'écoutent.
Larivoire secoue la tête, fait le geste de l'inter-
rompre, mais Gervilen continue. Il brasse l'air
du bras, il frappe du pied.

— Honneur, crie Manuel.

1) Le fils de sa mère.

— Respect, répond Larivoire.

Manuel s'avance rapidement. Les habitants le reconnaissent lorsqu'il arrive dans la lumière. Certains se lèvent, d'autres restent cloués sur leurs chaises, bouche bée, pétrifiés de stupeur.

— Je suis venu, frères, dit Manuel.

— Entre avec respect, reprend Larivoire.

— Je vous dit bonsoir, frères.

Il y en a qui répondent de mauvaise grâce ; d'autres, non.

Larivoire lui avance sa chaise.

— Avec ta permission, dit Manuel, je resterai debout devant tes cheveux blancs.

Larivoire sourit du coin des lèvres. Il connaît les usages, Manuel.

Manuel s'appuie de l'épaule contre un poteau de la tonnelle :

— Je viens avec la paix et la réconciliation.

— Parle, dit Larivoire, on t'entend.

— C'est vrai, oui, ce que répète — j'en fais le serment sur la tête de ma vieille maman — j'ai découvert une grande source.

— Des menteries, grogna Nérestan,

— J'ai fait un serment, compère Nérestan, et je n'ai pas l'habitude de la fausseté. Rappelle-toi, quand nous étions des jeunes bougres pas plus haut que ça, on t'accusa un jour d'avoir volé des épis de maïs dans le jardin de Dorismond et je me suis présenté pour avouer que c'était moi, même que mon papa m'a arraché la peau du dos à coups de fouet.

— C'est vrai, s'exclama Nérestan, ma parole, tu as bonne mémoire.

Il riait maintenant de toute sa large gueule et s'assénait sur les cuisses des tapes à écrabouiller la tête d'un chrétien.

— Ferme tes dents, grinça Gervilen rageuse-
ment.

— Ces épis de maïs-là, je les ai volés pour
les faire boucaner dans le bois avec Josaphat
et Pierrilis. A l'époque, on partageait.

(C'est un nègre rusé, pense Larivoire avec
admiration. Il a détourné l'orage.)

— Je suis parti pour les pays étrangers,
continua Manuel, et quand je suis retourné, j'ai
trouvé Fonds-Rouge saccagé par la sécheresse
et plongé dans une misère sans pareille.

Il prit un temps :

— Et j'ai trouvé les habitants dispersés par
le désaccord.

Le malaise recommençait. Les faces des habitants étaient contractées.

Manuel alla droit au but :

— Il y a un moyen de sortir de la sécheresse
et de la misère : c'est d'en finir avec ce désaccord.

— On ne peut jamais finir avec le sang, cria
Gervilen. Le sang a coulé, le sang de Dorisca.
C'était mon papa. Vous avez oublié ?

— Et Sauveur est mort en prison, dit Larivoire. La vengeance est accomplie.

— Non, car c'est pas moi qui l'ai tué, de ces
mains, de mes propres mains.

Une grimace frénétique tordait la figure de
Gervilen. Il agitait ses mains comme d'énormes
araignées.

— Compère Gervilen... commença Manuel.

— Ne m'appelle pas compère. Je ne suis rien
pour toi.

— Tous les habitants sont pareils, dit Manuel,
tous forment une seule famille. C'est pour ça
qu'ils s'appellent entre eux : frère, compère,

cousin, beau-frère. L'un a besoin de l'autre. L'un périt sans le secours de l'autre. C'est la vérité du coumbite. Cette source que j'ai trouvée demande le concours de tous les habitants de Fonds-Rouge. Ne dites pas non. C'est la vie qui commande et quand la vie commande, faut répondre : présent.

— Bien parlé, fait Gille.

« La vie commande. » N'était-ce pas là, la phrase même de Marianna ?

Josaphat se lève : Présent, dit-il, je suis d'accord.

— Dis-moi, est-ce que c'est une eau suffisante ? demande Ismaël. Parce que mon jardin, dans le temps, donnait trente sacs de maïs bien comptés.

— Chacun en aura pour son besoin et sa jouissance.

— Charogne, cracha Gervilen, se tournant d'un mouvement si brutal vers Ismaël que celui-ci tâta sa machette.

— Ah, compère Gervilen, dit-il secouant lentement la tête, mais le regard vigilant — tu ne ménages pas ta bouche. Tu es sans respect pour ton semblable. Tu le regretteras un jour, oui.

— En voilà un nègre emmerdant, murmura Mauléon.

— Je vois, vous êtes tous contre moi.

Gervilen parlait, comme s'il salivait une bile gluante.

— Vous avez vendu votre conscience pour quelques gouttes d'eau.

— Tu la vendrais bien, si c'était du clairin, ta conscience.

Gervilen sembla n'avoir pas entendu Gille.

— Quant à toi-même, Larivoire, tu as bien défendu la famille. Merci, je te dis : merci, parce que question de considération pour ton âge, je ne te dirai pas, comme à cette bande de saloperies, ce que je pense de toi.

— Mais, s'impatienta Larivoire, est-ce que tu ne peux pas réfléchir un moment, est-ce que la raison ne peut pas entrer dans ta cervelle ?

— Non, foutre, je ne veux pas.

Il se dirigea vers Manuel. Il s'arrêta à deux pas de lui. Il le regarda longuement comme s'il prenait sa mesure et dit avec un sourire qui lui déchirait la bouche :

— Tu as croisé deux fois le chemin de Gervilen Gervilis. Une fois, c'était déjà trop.

Et il disparut dans la nuit.

Les habitants se sentirent délivrés par le départ de Gervilen. Ils respirèrent plus à l'aise.

— On dirait qu'un mauvais esprit le tourmente, ce Gervilen, fit Louisimé Jean Pierre.

— C'est une nuisance, ce nègre, ajouta Pierrilis.

Manuel n'avait pas bougé de sa place. Il écarta Gervilen de sa pensée, comme on chasse un maringouin. Il attendait la décision des habitants.

Naturellement qu'ils acceptaient, les habitants, mais ils ne pouvaient pas répondre comme ça à la va-vite. Ils auraient l'air trop pressé. Il ne faudrait tout de même pas que ce Manuel crût qu'il avait si facilement gagné la partie. On avait sa dignité, n'est-ce pas.

Rusé comme il était, Larivoire comprit la tournure que prenaient les choses :

— Tu es venu avec honnêteté et nous t'avons écouté. Mais il est encore trop bonne heure pour dire oui ou non. Espère jusqu'à demain-si-dieu-veut : je t'apporterai moi-même la réponse.

— Je suis déjà d'accord, dit Gille.

— J'ai répondu : présent, dit Josaphat.

— Je ne suis pas contre, dit Pierrilis.

— Moi, non plus, dit Ismaël.

Mais les autres gardèrent le silence.

— Tu vois, fit Larivoire. Il y en a qui n'ont pas encore décidé. Soit dit sans vouloir te mettre à la porte : nous avons à examiner l'affaire entre nous. Merci pour ta visite, frère.

— Tu as dit un mot plaisant à entendre, Larivoire. Moi aussi, je vous baille mon merci, frères habitants. Et si ce Gervilen retourne par icitte, dites-lui, s'il vous plaît, que je n'ai pas de mauvais sentiments contre lui, que voici ma main et c'est une main grand'ouverte pour la paix et la réconciliation.

Nérestan se leva, il marcha lourdement vers Manuel. Sa tête touchait presque la toiture de la tonnelle, ses épaules bouchaient la vue de quatre habitants. Quel bûcheron il faudrait pour ébrécher et abattre un tel homme, songeait Manuel le regardant venir.

— Compère Manuel, dit Nérestan, j'avais oublié cette histoire de maïs. Le nègre n'est pas ingrat ; grâce à Dieu, Nestor Nérestan n'est pas ingrat.

Il offrait sa main gigantesque. Manuel la prit. Une force terrible dormait dans ces doigts épais et rugueux comme l'écorce.

— Salut, dit Manuel.

— Salut, répondit Nérestan.

Du même geste, ils portèrent la main à leurs fronts.

— Serviteur, dit Nérestan.

— Serviteur, répondit Manuel.

Et Larivoire lui toucha l'épaule :

— Adieu, mon fi, tu es un bon nègre. Tu me verras demain avant-midi.

— Alors, adieu, Larivoire, dit Manuel.

— Prends ce morceau de bois de pin. Il éclairera ta route.

Larivoire lui tendit l'esquille allumée dont la flamme filait en fumée et répandait une odeur de résine.

— La politesse est grande, remercia Manuel. Eh bien, cousins, adieu oui.

Cette fois-ci tous le saluèrent ; leurs voix n'hésitaient plus, elles rendaient un son d'amitié.

Manuel traversa la barrière ; il marchait sur la grand-route ; la torche de pin jetait un peu de lumière autour de lui ; un pan de clôture sortait de l'ombre ; un porc surpris, baugé dans les chardons, s'enfuyait en grognant ; Manuel allait le cœur léger. Quel jardin d'étoiles dans le ciel et la lune glissait parmi elles, si brillante et aiguisée que les étoiles auraient dû tomber comme des fleurs fauchées.

« Je suis sûr que demain Larivoire apportera la bonne réponse. Tu as fais ton devoir, tu as rempli ta mission. Manuel : la vie va recommencer à Fonds-Rouge, et maintenant tu pourras bâtir cette case, trois portes qu'elle aura, je répète, deux fenêtres, une galerie à balustrade et un petit perron. Le maïs poussera si haut qu'on ne la verra pas de la route. »

Il longeait la haie de chandeliers d'Annaïse.

« Ce sera comme ça, ma négresse, et tu verras que ton homme n'est pas un fainéant, mais un nègre vaillant levé chaque jour au premier chant du coq, un travailleur de la terre sans reproche, un gouverneur de la rosée véritable. »

La case dormait, au fond de la cour, sous les arbres. Il s'arrêta un moment. Il respira l'odeur des fleurs de campêchers et une grande joie calme et grave entra en lui. « Repose Anna, repose, chère, jusqu'au lever du soleil. »

Un bruit d'herbe froissée le fit se retourner. Il n'eut pas le temps de parer le coup. L'ombre dansa devant lui et le frappa encore. Un goût de sang lui monta à la bouche. Il chancela et s'affaissa. La torche s'éteignit.

XIII

Il revint à lui et la lointaine clarté des étoiles chavirait dans un lent vertige. Une douleur aiguë le clouait au sol. « *El desgraciado...* (1). Je vais mourir. » Il essaya de se lever. Il retomba sur la face. « Je vais mourir ; sur la grand-route ; comme un chien. » Il réussit à se dresser sur les coudes et se traîna un peu. Il était trop faible pour crier à l'aide. Qui l'aurait entendu dans cette nuit abandonnée au silence et au sommeil? Avec un immense effort, le côté et l'épaule déchirés par les coups de poignard, il se mit debout, vacillant comme un homme ivre, les genoux tremblants, les pieds de plomb. Et toujours ce roulis du ciel, cette nausée affreuse. Il fit quelques pas en titubant. Chaque mouvement lui coûtait une élancée terrible de ses blessures. Il essuya sa bouche d'où coulait du sang. Les mains étendues en avant comme un aveugle qui se fraie un chemin dans les ténèbres, il traversa la route. Mais le pied lui manqua dans le fossé et il s'écroula. S'accrochant des ongles aux chardons et aux herbes, il rampa

(1) Le misérable...

jusqu'à la clôture et se remit debout avec une tension de volonté désespérée. Il haletait et une sueur glacée mouillait sa face. Ses doigts crispés suivaient la clôture ; il allait dans une nuit éblouie d'éclairs, la tête ballante, trébuchant contre les pierres. Des défaillances écœurantes qui naissaient avec le vomissement de quelque chose d'épais, de caillé, faisaient céder ses jambes. Du bras, il entourait un poteau, mais son poids inerte l'entraînait, il roulait par terre. Il se réveillait, plus faible chaque fois, mais la pensée inflexible d'atteindre la barrière de sa case ressuscitait ses dernières forces. Il avançait sur le ventre, se hissait jusqu'à la clôture. Le ciel avait pâli et au levant, une frange de lumière annonçait peut-être l'aurore quand il arriva à la barrière. Il se glissa sous les bambous. Le sentier courait devant lui comme un ruisseau sous le reflet de la lune. Le petit chien accourut, aboyant avec détresse, effrayé de cet homme qui marchait sur les mains et les genoux vers la case.

Il s'abattit de tout son corps contre la porte.

— Qui est là ? cria la vieille.

— Maman, gémit-il.

Le chien hurlait.

— Je demande qui est là ? répéta la vieille.

Elle se leva, alluma la lampe. Une angoisse mortelle la fit trembler.

Derrière la porte, dans le noir, une plainte entrecoupée :

— T'en prie, maman, fais vite.

— Manuel ? Jésus-Marie-Joseph.

Il était étendu devant elle. Elle hala, avec ses pauvres bras, ce grand corps jusqu'à la chambre. Alors, elle aperçut le sang et poussa un cri.

— Je le savais, je le savais, on l'a assassiné,
on a tué mon petit. A moi, mes amis, au secours,
mes amis.

— Paix, maman, paix, dit Manuel dans un
souffle. Ferme la porte et aide-moi à me coucher,
maman.

Elle l'apporta presque jusqu'au lit. Où pre-
nait-elle la force, la vieille Délira ? La pensée
qu'il allait mourir l'affolait. Elle le déshabilla.
Deux petites plaies noires perçaient son côté et
son dos. Elle déchira un drap, banda les blessures, alla allumer le feu pour faire bouillir des
feuilles de calebassier.

Manuel était couché, les yeux fermés, respi-
rant avec peine. La lampe éternelle brûlait sous
l'image d'Ogoun. Le dieu brandissait un sabre
et son manteau rouge l'enveloppait d'un nuage
de sang.

Délira s'assit près de lui, aveuglée de larmes.

Les lèvres de Manuel remuèrent.

— Maman, tu es là, ma maman ? Reste près
de moi, ma maman.

— Oui, petite mouin, oui, cher, je suis là.

Elle lui caressa la main, elle embrassa sa main
salie de terre.

— Dis-moi le nom de ce scélérat pour que je
prévienne Hilarion.

Il s'agita :

— Non, non.

Sa voix affaiblie suppliait.

— Ça ne servira à rien. L'eau, faut sauver
l'eau. Les ramiers, ils battent de l'aile dans le
feuillage, les ramiers. Demande à Annaïse le
chemin qui mène au figuier-maudit, le chemin de
l'eau.

Ses yeux hagards brillaient. Elle épongea son front baigné d'une grosse sueur. Sa poitrine semblait soulever un poids écrasant.

Il s'apaisa peu à peu et s'endormit. Délira n'osait le laisser. Mon Dieu, mes saints, la Vierge, mes anges, t'en prie, t'en prie, t'en prie, faites qu'il vive, parce que s'il meurt, que va faire sur la terre cette vieille Délira, dites-moi, que va-t-elle faire sur la terre, toute seule, sans la consolation de son grand âge, sans la récompense de toute la misère qu'elle a endurée pendant son existence. Toi, la maman de Jésus au pied de la croix, oh Vierge des Miracles, je te demande grâce, grâce, la miséricorde pour mon garçon, prends-moi plutôt, j'ai fait mon temps, mais lui, il est encore au jour de sa jeunesse, le pauvre diable, laisse-le vivre, tu entends, chère, tu entends, ma petite maman, ma bonne, ma chère petite maman, tu m'entends, pas vrai ?

Un sanglot la déchira. Elle tomba à genoux, les bras en croix. Elle baisa la terre. Terre Sainte Terre, ne bois pas son sang, au nom du Père et du Fils et du Saint Esprit. Ainsi soit-il Elle pleurait et priait, mais à quoi servent les prières et les oraisons quand cette dernière heure est arrivée dont parle le Livre : quand la lune s'éteint et les étoiles s'éteignent et la cire des nuages cache le soleil et le nègre courageux dit : je suis fatigué, et la négresse s'arrête de piler le maïs parce qu'elle est fatiguée et il y a un oiseau qui rit dans le bois comme une crécelle rouillée et celles qui chantaient sont assises en rond sans mot et sans paroles et celles qui pleurent parcourent la grand-rue du bourg et crient: à moi, à moi, car nous enterrons aujourd'hui notre nègre et il s'en va vers le cimetière, il s'en va vers la tombe, il s'en va vers la poussière.

Le jour passait sous le battant mal joint de la fenêtre. Les poules piaillaient comme à l'ordinaire.

Manuel ouvrit les yeux. Il happait l'air à petites gorgées haletantes.

— Tu es réveillé, mon fi, dit Délira. Comment te sens-tu, comment sens-tu ton corps ?

Il murmura :

— J'ai soif.

— Tu veux un peu de café ?

Il fit signe que oui d'un battement de paupières.

Délira alla mettre le café à chauffer et revint avec l'infusion tiède de feuilles de calebassier.

Elle lava les plaies. Très peu de sang avait coulé.

— J'ai soif, répéta-t-il.

La vieille apporta le café. Elle soutint Manuel dans ses bras et il but avec effort. Sa tête retomba dans l'oreiller.

— Ouvre la fenêtre, maman.

Il contempla cette clairière de lumière qui s'agrandissait dans le ciel. Il sourit faiblement :

— Le jour se lève. Chaque jour, le jour se lève. La vie recommence.

— Dis-moi, Manuel, insista Délira, dis-moi le nom de ce bandit pour que je prévienne Hilarion.

Ses mains s'agitèrent sur les draps. Les ongles étaient d'un blanc écailleux. Il parla, mais si bas que Délira fut obligée de se pencher sur lui.

— Ta main, maman, ta main. Réchauffe-moi. Je sens une froidure dans les mains.

Délira le contemple, désespérée. Ses yeux se sont élargis au fond des orbites. Un cerne ver-

dâtre s'étend sur ses joues creusées. Il s'en va,
pense-t-elle, mon garçon s'en va, la mort est
sur lui.

— Tu m'entends, maman ?

— Je t'écoute, oui, Manuel.

On voit qu'il rassemble ses forces pour parler.
A travers un brouillard de larmes, Délira regarde
cette poitrine qui se soulève, qui lutte.

— Si tu préviens Hilarion, ce sera encore une
fois la même histoire de Sauveur et Dorisca.
La haine, la vengeance entre les habitants. L'eau
sera perdue. Vous avez offert des sacrifices aux
loa, vous avez offert le sang des poules et des
câbris pour faire tomber la pluie, ça n'a servi à
rien. Parce que ce qui compte, c'est le sacrifice
de l'homme. C'est le sang du nègre. Va trouver
Larivoire. Dis-lui la volonté du sang qui a coulé:
la réconciliation, la réconciliation pour que la
vie recommence, pour que le jour se lève sur la
rosée.

Epuisé, il murmura encore :

— Et chantez mon deuil, chantez mon deuil
avec un chant de coumbite.

— Honneur, crie une voix du dehors.

— Respect, répond machinalement Délira.

La tête malveillante d'Hilarion s'encadre dans
la fenêtre.

— Hé, bonjour, Délira.

— Bonjour, oui.

Il aperçoit le corps couché.

— Qu'est-ce qu'il a celui-là ? Malade ?

Ses yeux soupçonneux louchent vers Manuel.

Délira hésite, mais elle sent la main de Manuel
étreindre la sienne.

— Oui, dit-elle, il a rapporté de Cuba les mauvaises fièvres.

— Est-ce qu'il dort ? fait Hilarion.

— Il dort, oui.

— C'est contrariant, parce que le lieutenant demande pour lui. Faudra qu'il se présente à la caserne dès qu'il pourra se lever.

— C'est bien, je lui dirai.

Elle écoute ses pas qui s'éloignent et se tourne vers Manuel. Un filet de sang noir coule de sa bouche et ses yeux la regardent mais ne la voient plus. Il tient encore sa main : il a emporté sa promesse.

*
**

La vieille Délira a fermé les yeux de son garçon. Le linge ensanglanté, elle l'a enterré sous le lit. Maintenant, elle peut hurler ce grand cri de bête blessée. Le voisinage l'entend et les habitants accourent, les hommes et les commères. L'événement leur tombe sur la tête comme un quartier de roche. Ils sont écrasés. Un nègre si gaillard. Hier encore, je lui disais à Manuel : compère Manuel... C'est pas naturel, non, c'est pas naturel. Mais à toutes leurs questions, Délira répond : la fièvre, les mauvaises fièvres de ce pays de Cuba. Et puis, elle pousse ce cri terrible et elle ouvre les bras et son vieux corps tremble, crucifié.

Laurélien est arrivé. Il regarde le cadavre. On a allumé à sa tête et à ses pieds une bougie. Il y a de la lumière sur le front de Manuel et sa bouche a gardé jusque dans la mort ce pli obstiné.

— Alors, chef, tu es parti, chef ? Tu es parti?

De grosses larmes roulent sur son rude visage.

— Ah la misère, dit commère Destine.

— Ah la vie, soupire commère Mérilia.

— Tantine, dit Clairemise, je vais t'aider à le laver.

Mais Délira fait : non, merci.

— J'attends, dit-elle.

— Qui est-ce que tu attends, tantine ?

— J'attends, répète la vieille.

Destine lui apporte une tasse de thé. Elle refuse. Elle se balance sur sa chaise, comme si elle berçait sa douleur de tout son corps. Les autres la soutiennent et la consolent, mais tout ça, c'est des mots, elle ne les entend même pas, et elle se lamente comme si on lui arrachait l'âme avec de griffes de fer.

Et les autres aussi ont appris la nouvelle. Ils se glissent chez Larivoire. Larivoire est assis sous sa tonnelle. Il tire sur les poils de sa barbe. Il ne répond pas à leurs questions. Est-ce qu'ils ne savent pas ? Mais oui, ils savent. La porte de la case de Gervilen est fermée et on ne le voit nulle part.

Les femmes se rencontrent devant leurs barrières. En voilà des bouleversements dit l'une. Et l'autre répond : en vérité, en vérité. Quant à Isménie, la négresse de Louisimé Jean Pierre, elle prétend que c'est la vengeance de la Maîtresse-de-l'Eau. C'est que c'est dangereux, oui, ma commère, les esprits des sources. — Mais, réplique la voisine, on dit comme ça que ce Manuel avait rapporté de Cuba les mauvaises fièvres. Ça lui mangeait le sang. — On dit, on dit, qu'est-ce qu'on ne dit pas, fait l'incrédule.

Hilarion renifle l'air comme un chien qui cherche une piste. Il flaire un mystère. Il dépêche son adjoint aux renseignements. Mais

partout, bouche cousue. Ou bien alors la stupeur
sans feinte ni détour.

Tant mieux, pense Hilarion. Le Manuel était
un désagrément, un nègre rebelle, et maintenant
je pourrai avoir les terres de ces cochons d'habitants. C'est aussi l'opinion de Florentine, la
vorace.

Celle que Délira attendait arrive. Annaïse
court presque, elle a perdu la tête. Les gens
diront ce qu'ils voudront, ça lui est égal. Ils
sauront, eh bien ils sauront. Et après ? Manuel,
Manuel, oh mon frère, mon homme, mon chéri.
Te seras la maîtresse de ma case, avait-il dit.
Et il y aura des roseaux et des lauriers dans
notre jardin. Et il l'avait prise à la source et la
rumeur de l'eau était entrée en elle comme un
courant de vie féconde. Est-ce qu'on meurt
comme ça, comme un souffle d'air éteint une
chandelle, comme une serpette sarcle l'herbe,
comme un fruit tombe de l'arbre et pourrit,
lorsqu'on est un nègre si fort et si vaillant ? Et
alors, la récolte mûrirait et il ne la verrait pas,
l'eau chanterait dans le canal et il ne l'entendrait
pas, et moi, Annaïse, ta négresse, je t'appelle-
rais et tu ne me répondrais pas ? Non, mon Dieu,
non c'est pas vrai, c'est pas possible, parce que
ce serait une injustice.

Les habitants qui la voient passer hochent la
tête. Mes amis, s'étonnent-ils, est-ce que cette
fille de Rosanna aurait perdu son bon ange ?

Quand elle entra dans la cour, ils la regar-
dèrent, ahuris. Antoine qui s'amenait tout juste,
en resta la mâchoire décrochée et Jean-Jacques
grommela : Qu'est-ce qu'elle veut, cette imper-
tinente? et commère Destine s'avança, les poings
sur les hanches, avec un mouvement hostile.

Mais Délira s'était levée. Elle avait pris Annaïse par la main, elle l'avait prise dans ses bras et les voilà qui pleurent ensemble avec de grands gémissements. Alors tous comprirent et Clairemise qui avait bon cœur murmura : pauvre, pauvre petite négresse, et Antoine dit : la vie, c'est une comédie, voilà ce qu'elle est, la vie.

Il cracha : Et elle a un goût amer, la saloperie.

Annaïse s'agenouilla devant Manuel. Elle prit sa main déjà glacée. Elle l'appela : Manuel, Manuel, ho ? d'une voix tendre et mouillée de larmes et puis dans un cri farouche, elle chavira en arrière, les bras dressés, le visage transfiguré par la souffrance : Non, mon Dieu, tu n'es pas bon, non, c'est pas vrai que tu es bon, c'est une menterie. Nous te hélons à notre secours et tu n'entends pas. Regarde notre douleur, regarde notre grande peine, regarde notre tribulation. Est-ce que tu dors, mon Dieu, est-ce que tu es sourd, mon Dieu, est-ce que tu es aveugle, mon Dieu, est-ce que tu es sans entrailles, mon Dieu? Où est ta justice, où est ta pitié, où est ta miséricorde ?

— Paix, Annaïse, fit Délira. Ta bouche dit des péchés.

Mais Annaïse ne l'entendait pas : Nous avons beau prier, nous autres pauvres nègres, et demander grâce et demander pardon, tu nous foules comme le petit-mil sous le pilon, tu nous écrases comme la poussière, tu nous réduis, tu nous bouleverses, tu nous détruis.

— Oui, frères, soupira Antoine, c'est comme ça : depuis en Guinée, le nègre marche dans l'orage, la tempête et la tourmente. Le Bondieu est bon, dit-on. Le Bondieu est blanc, qu'il faudrait dire. Et peut-être que c'est tout juste le contraire.

— Assez, Antoine, il y a déjà assez de malédictions sur cette case.

Délira releva Annaïse.

— Rassemble ton courage, ma fille. Nous allons le baigner.

Les habitants sortirent de la chambre et Délira ferma la porte.

Elle approcha un doigt de sa bouche.

— Ne crie pas.

Elle retourna doucement le corps.

— Ne crie pas, je dis.

Elle souleva la chemise et deux petites plaies plus noires que la peau apparurent, deux petites lèvres de sang caillé.

— Seigneur, gémit Annaïse.

Délira fit un signe de croix sur la première plaie.

— Tu n'as rien vu.

Elle fit un signe de croix sur la deuxième plaie.

— Tu ne sais rien.

Elle regarda Annaïse avec sévérité.

— C'était sa dernière volonté. Il me tenait la main et il est parti avec ma promesse. Sermente que tu garderas le secret.

— Je sermente, oui, maman.

— Au nom de la Vierge Altagrâce ?

— Au nom de la Vierge Altagrâce.

Ce n'était pas Manuel, ce grand corps froid, insensible et rigide. Ce n'était que son apparence de pierre. Le vrai Manuel marchait par les mornes et les bois, au grand soleil. Il parlait à Annaïse : ma négresse, disait-il. Il la prenait dans ses bras, il l'enveloppait de sa chaleur. Le vrai Manuel traçait le passage de l'eau dans les jardins, il marchait dans les futures récoltes, dans la rosée de l'avant-jour.

— Je n'ai pas le courage, maman, murmura Annaïse, effrayée.

— C'était ton homme, dit la vieille. Faut faire ton devoir.

Annaïse baissa la tête : Oui, maman, je ferai mon devoir.

Quand les deux femmes eurent terminé leur funèbre besogne, quand Manuel fut habillé de ses vêtements de rude étoffe bleue, Délira ralluma les bougies.

— Place sa machette à son côté, dit-elle. C'était un bon habitant.

*
* *

Vers le tard de l'après-midi, Bienaimé revint. Il ramenait la génisse qu'il n'avait pu vendre. La bête fourbue boitait à nouveau.

— Quel est ce rassemblement dans ma cour ? s'écria-t-il, apercevant la foule des paysans.

Laurélien lui ouvrit la barrière.

— J'ai un garçon, dit Bienaimé mécontent, et il faut que ce soit un voisin qui vienne m'ouvrir la barrière. Merci quand même, Laurélien.

Il voulut continuer son chemin. Laurélien retint le cheval par la bride.

— Compère Bienaimé, commença-t-il.

A ce moment Délira sortit de la case. Elle s'avança lentement, grande et sèche dans sa robe noire, la tête enveloppée d'un mouchoir blanc.

— Papa, dit-elle, descends de ton cheval et baille-moi ta main.

— Qu'est-ce qu'il y a ? bégaya le vieux.

— Baille-moi ta main, papa.

Mais ses forces l'abandonnèrent et elle s'abat-

tit contre la poitrine de Bienaimé, secouée
d'âpres sanglots.

Dans la case, le chœur des pleureuses s'éleva.
La grosse Destine tournoyait sur elle-même,
frappant une main contre l'autre et criant
comme si elle avait perdu la raison.

— Ah Dieu Bon Dieu, voici Bienaimé, mes
amis, voici Bienaimé.

— Manuel ? dit le vieux d'une voix sans
timbre.

Délira s'accrochait à lui avec désespoir.

— Oui, papa, oui, Bienaimé, cher papa, notre
garçon, notre seul garçon, la consolation de
notre vieillesse.

Les habitants s'écartèrent sur leur passage.
Les femmes hurlaient.

— On n'invite pas le malheur, dit Antoine.
Et il vient et il se met à table sans permission
et il mange et ne laisse que les os.

Bienaimé contempla le cadavre. Il ne pleurait
pas, le vieux Bienaimé, mais les plus endurcis
détournaient les yeux de son visage et toussaient
rudement. Brusquement, il chancela. Les habitants s'empressèrent.

— Laissez-moi, dit-il, les écartant.

Il sortit de la case. Il s'assit sur une marche
devant la galerie, affaissé sur lui-même, comme
si on avait broyé ses épaules. Ses mains trem-
blaient dans la poussière.

...Le soleil va se coucher ; il faut bien que le
jour finisse : des nuages véhéments naviguent
à l'horizon vers le crépuscule, toutes voiles
incendiées. Un troupeau de bœufs prend dans
la savane une immobilité minérale. Les poules
battent déjà de l'aile dans les calebassiers.

Des habitants arrivent, d'autres s'en vont.

C'est qu'il faut s'occuper de ces petits nègres restés à la case, aller manger un morceau. Ils retourneront pour la veillée. On a déjà installé dans la cour quelques tables et des chaises empruntées au voisinage. Une odeur de café et de thé à la cannelle se répand. Laurélien a prêté deux piastres, tout ce qu'il avait, pour acheter du clairin. Délira a juste assez d'argent pour payer le Père Savane (1) qui viendra lire les prières et bénir le corps. On n'a pas de quoi pour un enterrement à l'église. C'est trop cher et l'église ne fait pas de crédit aux malheureux, c'est pas une boutique, c'est la maison de Dieu.

Les lamentations se sont apaisées. La nuit est là avec son poids d'ombre et de silence. De temps en temps, une femme soupire : ay, Jésus-Marie-la-Vierge, mais sans beaucoup de conviction : à la fin on se fatigue même du chagrin.

Délira est assise près de Manuel. Elle ne le quitte pas des yeux et parfois elle semble lui parler à voix basse. Personne n'entend ce qu'elle dit.

Annaïse est partie. Il lui faudra expliquer les choses à Rosanna. Ce ne sera pas facile.

Bienaimé, lui, est resté à la même place ; sa tête, entre ses bras repliés, repose sur ses genoux. Est-ce qu'il dort ? On ne sait pas ; on ne le dérange pas.

Laurélien s'occupe du cercueil. Devant sa case, il scie, il cloue. Anselme, son frère cadet, l'éclaire avec une torche de bois-chandelle.

Ce n'est pas un gros travail : trois planches et un couvercle pour emporter en terre celui qui avait été son ami.

_____

(1) Prêtre improvisé des campagnes haïtiennes.

Quel nègre c'était, songe-t-il, quel habitant !
Il n'y avait pas meilleur dans tout le pays. Mais
la mort fait son tri comme un aveugle choisit
des mangos au marché : elle tâtonne jusqu'à
trouver les bons et elle laisse les mauvais. C'est
la vérité et c'est pas juste.

— Passe-moi les clous, dit-il à Anselme.

Ses gestes se répétaient sur le mur de la case
en grandes ombres déformées.

Anselme commence seulement à entrer dans
l'âge d'homme. S'il lui racontait les paroles de
Manuel, possible qu'il ne comprendrait pas. Je
le regardais tresser ces chapeaux, ses doigts
couraient dans la paille et il parlait : « Un jour
viendra... nous ferons le grand coumbite de tous
les travailleurs de la terre pour défricher la
misère et planter la vie nouvelle. » Tu ne verras
pas ce jour, chef, tu es parti avant l'heure, mais
tu nous a laissés avec l'espérance et le courage.

Encore un clou, encore un, approche la
lumière, Anselme, encore un. Le cercueil est
prêt, le couvercle s'ajuste. J'ai fini, et pour dire
vrai, mon compère Manuel, c'est un service qui
ne mérite pas de merci.

Il contemple son œuvre : une longue caisse
toute simple. C'est du bois trop mince, trop
tendre, que la terre mangera en un rien de
temps. Si seulement j'avais pu avoir quelques
bonnes planches d'acajou, et peut-être quelques
ferrures, comme celles qu'on vend chez M'sieur
Paulma au bourg, mais c'est cher, hors de portée.

— Ils ont commencé avec les cantiques, dit
Anselme.

— J'entends, dit Laurélien.

Le chant s'élève tristement au cœur de la
nuit. « *Pa' quel excés dé bonté vous vous êtes*

cha'gé di poids dé nos crimes, vous avez souf-
fè'ine mô crielle pou' nous sauvé dé la mô. »

Quand il fléchit, une voix de femme, haute
et vibrante, un peu fêlée, le reprend, rassemble
les autres voix et le cantique s'épanouit à nouveau dans un élan unanime.

Il est temps d'aller à la veillée.

Dans la première pièce de la case, Délira a
disposé sur une nappe blanche un crucifix, des
bougies allumées et des fleurs, celles qu'on a pu
trouver par cette sécheresse : c'est dire qu'il n'y
en a pas beaucoup.

« C'est mainténant Seigneu', qué vous laissez
aller en paix vot' serviteu', sélon vot' parole. »

Les habitants chantent leurs cantiques devant
cet autel. Ils sont serrés l'un contre l'autre et
la lumière des bougies fait couler des reflets
luisants sur leurs visages noirs en sueur.

Heureusement qu'il y a le clairin pour se
rafraîchir et on voit qu'Antoine en a déjà fait
usage plus que de raison. Il n'est déjà plus très
solide sur ses jambes et il chante à pleine gorge.
Quand il enfle sa voix rauque et puissante, elle
couvre celle des autres. Destine sans avoir l'air
de rien lui décoche un coup de coude en plein
mitan de l'estomac et un hoquet manque de
l'étouffer.

— La scandaleuse, fait-il un moment après
dans la cour, elle n'a même pas de respect pour
défunt Manuel.

Et sur un ton menaçant :

— C'est bon. Je ferai une chanson sur elle,
que, foutre...

Mais il se rappela qu'il était à une veillée et
il ravala l'énorme obscénité qui lui chargeait la
langue.

Sur chaque table, on a placé un lumignon et ça fait des îlets de lumière dans la cour. Les habitants sont assis autour et jouent au trois-sept. Ils tiennent leurs cartes en éventail et ils ont l'air absorbés. Est-ce qu'ils ont déjà oublié Manuel ? Oh, non, faut pas croire. Seulement, nous autres, nous ne pouvons nous mettre à crier comme les femmes. Les femmes, ça les soulage. Un garçon a plus de courage pour supporter en silence. Et puis, c'est la coutume de jouer aux cartes dans les veillées. Neuf de carreau, je coupe.

Bienaimé est comme un corps sans âme. Il entre dans la chambre où repose Manuel. Il le regarde un moment, les yeux vides, éteints. Il va dans la cour, il passe près des tables, on lui parle, il ne répond pas.

Délira à force de prières et de supplications lui a fait prendre un peu de bouillon. Il a presque tout laissé dans son assiette.

— C'est un homme enfoudroyé, dit Antoine. Il est fini.

Annaïse est revenue. Elle a expliqué à Rosanna. Rosanna a poussé de hauts cris, elle l'a traitée de toutes sortes de noms.

— Tu n'es pas honteuse ? a-t-elle dit.

— Non, a répondu Annaïse.

— En voilà une jeunesse, a crié Rosanna, une sans conscience, une sans honneur.

— Non, a répondu Annaïse, je suis sa femme. C'était le meilleur nègre sur la terre. Il était honnête, il était bon. Il ne m'a pas prise par la ruse ou la violence. C'est moi qui ai voulu.

— Mais comment as-tu fait pour le rencontrer, ennemis comme nous le sommes ?

— Il m'aimait et je l'aimais. Nos chemins se sont croisés.

Elle a enlevé ses boucles d'oreilles d'argent. Elle a passé sa robe noire. Elle s'est coiffée d'un mouchoir blanc.

— Tu ne sortiras pas.

Rosanna s'est mise devant la porte.

— J'ai du chagrin, maman, a dit Annaïse.

— Tant pis ; je dis que tu ne sortiras pas.

— J'ai de la peine, maman, a dit Annaïse.

— Tu m'as entendu. Je ne le répéterai pas trois fois.

On a cogné à la porte. C'est Gille. Gille est entré. Il a vu ce qui se passait.

— Gervilen avait raison, a-t-il remarqué. Défunt Manuel et toi, vous étiez complices.

Il a fait une pause.

— Depuis ce grand matin, Gervilen a quitté Fonds-Rouge.

Annaïse n'a rien dit. Elle s'est rappelée son serment.

— Tu sais où est l'eau ? a demandé Gille.

— Je sais où elle est, a répondu Annaïse.

— Laisse-la sortir, maman, a dit Gille.

Annaïse est sortie.

Il faut faire passer le temps dans les veillées. Les cartes, les cantiques, et le clairin ne suffisent pas. La nuit est longue.

Près de la cuisine, Antoine, une tasse de café en main, pose des devinettes. Ce sont surtout les jeunes qui l'entourent. Ce n'est pas que les habitants plus âgés n'y prennent pas plaisir, mais ça n'a pas l'air très sérieux et on tient, n'est-ce pas vrai, à sa réputation d'homme grave et sévère. Il se pourrait qu'à une malice inat-

tendue de cet Antoine, on soit obligé de rire.
Alors ? Alors, ces jeunes nègres n'auraient plus
de respect pour vous : ils sont toujours prêts à
vous croire leur pareil et leur camarade, ces
petits macaques-là.

Antoine commence :

— En entrant dans la maison, toutes les femmes enlèvent leurs robes ?

Les autres cherchent. Ils se creusent l'imagi-
nation. Ah, bah, ils ne trouvent pas.

— Qu'est-ce que c'est ? demande Anselme.

— Les goélettes carguent leurs voiles en
entrant au port, explique Antoine.

Il avala une gorgée de café :

— Je vais chez le roi. Je trouve deux chemins, faut que je les prenne tous deux ?

— Le pantalon, crie Lazare.

— C'est ça. Mais celle-ci, je ne m'appelle pas
Antoine si vous la trouvez : la petite Marie met
son poing sur sa hanche et dit : je suis une
grande fille ?

C'est difficile, oui, c'est difficile.

— Vous n'êtes pas assez intelligents. Bande
de nègres à tête dure que vous êtes.

Et positivement, ils ont beau s'efforcer, c'est
en vain, ils ne devinent pas.

Antoine triomphe :

— La tasse.

Il tient la sienne par son anse, il la leur
montre et il rit son content.

— Encore une, tonton Antoine, encore une,
s'il vous plaît, réclament-ils en chœur.

— Chhh... vous faites trop de bruit, et en
vérité, vous êtes insatiables.

Il feint de se faire prier, mais il ne demande
qu'à continuer, Antoine. Dans toute la plaine,

on vous dira qu'il n'y a pas plus fameux pour les contes et les chansons.

— Bon, fait-il, je vais vous faciliter : Ronde comme une boule, longue comme le grand chemin ?

— Pelote de fil.

— Je brûle ma langue et donne mon sang pour faire plaisir à la société ?

— La lampe.

— Ma veste est verte, ma chemise blanche, mon pantalon rouge, ma cravate noire ?

— Melon d'eau.

— Anselme, mon fi, dit Antoine. Va remplir cette tasse de clairin, mais à ras bord, tu m'entends ? Ça ne se ménage pas le clairin de veillée, 'faut faire honneur au défunt. Si c'est commère Destine qui a la bouteille, dis-lui que c'est pour Laurélien. Par précaution, mon fi, par précaution. Parce que cette Destine et moi, nous nous entendons comme le lait et le citron. Nous avons le cœur tourné rien qu'à nous regarder.

C'est ainsi que la veillée se poursuit : entre les larmes et le rire. Tout comme la vie, compère ; oui, tout juste comme la vie.

Un petit groupe s'est formé à l'écart: le vieux Dorélien Jean-Jacques, Fleurimond Fleury, Dieuveille Riché et Laurélien Laurore.

— Pour moi, dit Dorélien, c'est une mort qui n'est pas naturelle.

— C'est ce que je pense moi-même, approuve Fleurimond.

Laurélien n'est pas de cet avis :

— Délira dit que c'était de mauvaises fièvres. Si elle le dit, c'est que c'est comme ça. Elle n'aurait pas d'intérêt. Et il y a des fièvres qui vous rongent sans en avoir l'air. On est comme un meuble qui paraît bien solide, bien plein, mais les poux de bois (1) se sont déjà mis là-dedans, et un beau jour, ça tombe en poussière.

— Peut-être, fait Fleurimond. Mais il ne semble pas trop convaincu.

Et Dieuveille Riché prend la parole :

— A midi, tu traverses la rivière à pied. Sèche ; pas ça d'eau : des galets et des roches. Mais la pluie est tombée à l'avalasse dans les mornes, et vers l'après-midi, l'eau descend comme une déchaînée et ravage tout sur son passage, l'enragée. C'est comme ça que vient la mort. Sans qu'on s'attende, et on ne peut rien contre elle, frères.

— Par rapport à l'eau, dit Laurélien, savoir si défunt Manuel a confié à quelqu'un où se trouve la source. J'étais son ami, mais il n'a pas eu le temps de me montrer l'endroit.

— Possible que Délira sait ?

— Pour plus sûr cette fille de Rosanna.

— Parce que ce serait on ne peut plus de guignon s'il était parti avec le secret.

— Faudrait battre tout le pays, chercher dans les moindres recoins des mornes et des ravines.

— Et c'est pas certain qu'on trouverait.

— On s'était fait de l'espoir. On voyait à l'avance tous ces jardins arrosés. Ce serait dommage.

— Pour une malchance, ce serait une malchance. Je calculais déjà que je planterais des pois en bordure. Les pois font bon prix à l'heure qu'il est au marché.

— Et les bananes, ça pourrait donner le long

(1) Termites.

du canal.

— Moi, dit Dieuveille, j'allais essayer des poireaux et des échalottes sur mon mórceau de terre.

Le vieux Dorélien soupira.

— Comme quoi, chaque nègre tirait son plan. L'un disait : je ferai ci, l'autre disait : je ferai ça, et pendant ce temps le malheur riait en sourdine. Il attendait dans ce détour du chemin qu'on appelle la mort.

Ah, c'est que je m'en vais, mes amis, je m'en vais, oui ; je n'ai plus beaucoup de temps devant moi, mais j'aurais aimé voir encore une fois les champs de maïs et les récoltes couvrir les jardins.

« *Ma'chons ou combat, à la gloi-oi-re...* »

Ils sont endurants, les chanteurs de cantiques, ils ne s'essoufflent pas facilement. La grosse Destine terrassée par la fatigue est affalée sur une chaise. Sa tête dodeline sur ses épaules, ses yeux sont fermés, elle bat la mesure avec son pied nu, et elle chante d'une voix de fausset dolente et endormie.

— Ah la laide ! murmure Antoine avec une moue de dégoût.

La bouteille de clairin est sur une table, il allonge la main, mais Destine ouvre un œil, un seul, mais fixe, et Antoine fait semblant de moucher une bougie.

— Ça gaspille la cire autrement, fait-il.

Et il se retire, les épaules basses, et jurant entre les dents des choses qu'on ne peut pas répéter.

« *Ma'chons au combat, à la gloi-oi-re...* » entonne Destine, mais cette fois-ci d'une voix claironnante et triomphale qui ranime le chœur

comme une nouvelle bûche rallume un boucan
et le cantique s'en va sur l'aile frissonnante de
l'aube et les habitants qui se lèvent tôt à Fonds-
Rouge l'entendent ; « ah, oui, disent-ils, l'enterrement sera aujourd'hui » et ceux qui dormaient
sous la tonnelle, le front sur la table, se réveil-
lent et réclament du café, et Délira n'a pas quitté
Manuel un instant, Annaïse non plus, la pauvre,
et Bienaimé s'est recroquevillé dans un coin :
c'est le dernier cantique, le dernier, car voici le
jour avec ses arbres noirs et frileux contre le
ciel pâli et les habitants commencent à prendre
congé. Ils reviendront plus tard, ils disparaissent
par les sentiers sous les bayahondes, et les pintades sauvages descendent des branchages et
s'assemblent dans les clairières, les coqs s'égo-
sillent de cour en cour, un jeune poulain hennit
nerveusement dans la savane, « Adieu, Délira »,
dit Laurélien. Il hésite : « adieu, Annaïse » ;
elles lui répondent d'une voix faible, elles ont
trop pleuré, elles n'ont plus de force, et l'aurore
entre par la fenêtre, mais Manuel ne la verra
plus, il dort pour toujours et à jamais. Amen.

*
* *

Vers les dix heures, Aristomène le Père
Savane, fait son entrée dans la cour. Il monte
une petite bourrique qui plie sous son poids et
les pieds du bonhomme traînent dans la poussière. Il est en retard et l'animal est rétif ;
Aristomène lui enfonce ses talons dans les flancs
avec un telle vigueur qu'il le soulève presque de
terre.

Il porte une lévite qui a dû être noire au

temps jadis, mais vu son âge vénérable, elle tire
maintenant sur le luisant des gorges de ramiers.

D'un geste onctueux, il soulève son chapeau
et découvre un crâne chauve et brillant :

— Bonjour, la société.

Et les habitants le saluent avec politesse.

On le fait asseoir et Délira, en personne, lui
présente une tasse de café.

Aristomène boit lentement, il est conscient
de son importance. Le murmure des conversa-
tions bourdonne autour de lui comme un hommage et sa face rougeâtre, gravée de petite
vérole, sue une abondante satisfaction.

Dans la chambre on a couché Manuel dans
son cercueil. Deux bougies brûlent : l'une à sa
tête, l'autre à ses pieds. Bienaimé contemple
son fils. Il ne pleure pas, mais sa bouche ne
cesse de trembler. Ce n'est pas sûr qu'il ait
remarqué Annaïse. Les mains d'Anna couvrent
son visage, les larmes ruissellent entre ses doigts
et elle se plaint comme un enfant qui a mal.

De temps en temps, une commère : Clairemise, Mérilia, Destine, Célina, Irézile ou Georgina, ou une autre, pousse un cri strident et
toutes aussitôt l'accompagnent et le chœur des
pleureuses remplit la case de hurlements assour-
dissants.

Les hommes, eux, se tiennent dans la cour
ou sous la galerie. Ils parlent à voix basse, ils
mordent le tuyau de leurs pipes.

Mais Laurélien est dans la chambre mortuaire.

« Adieu, chef, je n'aurai jamais plus d'ami
comme toi ; adieu, mon frère, adieu, mon camarade. »

Il s'essuie les yeux du revers de la main. Ce
n'est pas l'habitude de voir un nègre pleurer,

mais c'est plus fort que lui et il n'a pas honte.

Délira est revenue prendre sa place près du cercueil. Elle évente le visage de Manuel avec un de ces chapeaux de paille qu'il tressait les après-midi sous la galerie, elle le protège contre les mouches, des mouches grasses, comme on en voit seulement aux enterrements, et la flamme remuée de la bougie éclaire le front de Manuel : « Il y avait de la lumière sur ton front le jour que tu es retourné de Cuba et même la mort ne peut l'effacer, tu t'en vas dans les ténèbres avec elle. Que cette lumière de ton âme te guide dans la nuit éternelle, afin que tu trouves le chemin de ce pays de Guinée où tu reposeras en paix avec les Anciens de ta race. »

— Nous allons commencer, dit Aristomène.

Il feuillette son livre, il mouille un doigt pour tourner chaque page :

— *Prière pour les défunts.*

Les femmes tombent à genoux. Délira a ouvert ses bras en croix, les yeux levés vers quelque chose que, seule, elle voit.

— *Du fond de l'abîme, j'ai crié vers vous, Seigneur : Seigneur, écoutez ma voix.*

Que vos oreilles soient attentives à la voix de ma prière.

Il lit à toute vitesse, Aristomène ; il avale les mots sans les mâcher, il est pressé. Son compère Hilarion lui a offert de venir prendre un grog après la cérémonie et pour ces malheureux deux piastres et cinquante centimes qu'il va toucher ce n'est pas nécessaire, non, ce n'est vraiment pas la peine de se donner du mal.

— *Qu'ils reposent en paix. Ainsi soit-il.*

— Ainsi soit-il, répondent les habitants.

Aristomène s'éponge le crâne, la face et le

cou avec un large foulard à carreaux.

Malgré sa hâte, il se réjouit des mots latins qu'il va prononcer, de ces vobiscum, saeculum et dominum qui sonnent comme une retombée de baguette sur un tambour et qui font murmurer avec admiration à ces ignorants d'habitants : « Tonnerre, il est fort, oui, cet Aristomène. »

Sa voix s'élève avec le chantonnement plaintif, nasillard et solennel des curés. Ce n'est pas pour rien qu'il a été sacristain pendant des années et n'était cette regrettable affaire avec la gouvernante de « mon Père », il servirait encore à la messe dans l'église du bourg. Eh, ça n'avait pas été de sa faute, le « mon Père » aurait dû prendre pour le servir une personne d'âge au lieu de cette jeune négresse ronde et dodue comme une poule bassette. Ne nous induisez pas en tentation, dit la parole.

Si les mots avaient des os, il s'étranglerait, Aristomène, tellement il se dépêche. Les pages s'envolent sous ses doigts et il les tourne plusieurs à la fois.

— En voilà un nègre malhonnête, pense Antoine qui l'observe de près.

Délira n'écoute ce langage précipité, ce bafouillis sacré que comme une rumeur lointaine et incompréhensible. Elle est auprès de Manuel, elle ne voit que lui et elle se balance sur sa chaise comme si elle n'en pouvait plus de soutenir ce poids de douleur, elle est comme une branche dans l'orage, abandonnée à la nuit amère et sans fin. Grâce, grâce, je demande grâce et la délivrance, Seigneur, prends-moi, car je suis fatiguée, la vieille Délira est si, si fatiguée, Seigneur. Laisse-moi accompagner mon garçon dans la grande savane de la mort, laisse-moi enjamber avec lui la rivière du pays des morts : je l'ai porté neuf mois dans mon ventre et toute l'existence dans mon cœur, je ne peux pas le quitter.

Manuel, ah Manuel, tu étais mes deux yeux, tu étais mon souffle, tu étais mon sang : je voyais par tes yeux comme la nuit voit par les étoiles, je respirais par ta bouche, et mes veines se sont ouvertes quand ton sang a coulé, ta blessure m'a fait mal, ta mort m'a tuée. Je n'ai plus rien à faire sur la terre. Il me reste à attendre dans un coin de la vie comme un haillon oublié au pied d'une muraille, comme une pauvre malheureuse qui tend la main : la charité, s'il vous plaît, qu'elle dit, mais la charité qu'elle demande, c'est la mort. Je vous salue Marie la Vierge Altagrâce, faites que ce jour arrive, qu'il arrive demain, qu'il arrive aujourd'hui même. Oh mes saints, oh mes loa, venez me secourir : Papa Legba, je vous appelle, Saint Joseph, Papa, je vous appelle, Dambala Siligoué, je vous appelle, Ogoun Shango, je vous appelle, Saint Jacques le Majeur, je vous appelle, ay, Loko Atisou, Papa, ay Guédé Hounsou, je vous appelle, Agoueta Royo Doko Agoué (1), je vous appelle, mon garçon est mort, il s'en va, il va traverser la mer, il s'en va en Guinée, adieu, adieu, je dis adieu à mon garçon, il ne retournera plus, il est parti pour toujours, ah la tristesse, ah la détresse, ah la misère, ah la douleur.

Elle lève les bras au ciel, le visage défiguré par les larmes et la grande souffrance, les

(1) Divinités Afro-Haïtiennes.

épaules bercées par cette incantation désespérée
et les commères la soutiennent et lui murmurent:
« Courage, Délira, prends courage, chère ! »
mais elle ne les entend pas, elle n'entend pas
Aristomène qui psalmodie de plus en plus, de
plus en plus vite, pressé qu'il est d'en finir...
*santae Trinitatis. Per Christum Dominum nos-
trum.* Amen, et il sort des profondeurs de sa
lévite une petite bouteille, il retire le bouchon
avec ses dents ; il asperge le corps, et voici
Laurélien qui s'avance avec le couvercle du cercueil : Non, non, crie Annaïse se débattant dans
les bras de Clairemise, mais Laurélien s'approche
avec le couvercle : Laissez-moi le voir une dernière fois, crie Délira, mais Laurélien cloue le
couvercle et à chaque coup de marteau, Délira
tremble comme si les clous s'enfonçaient dans
le sang de son âme, c'est fini, oui, c'est fini,
Joachim, Dieuveille, Fleurimond et Laurélien
soulèvent le cercueil et c'est maintenant qu'il y
a des lamentations et des gémissements et des
voix qui hèlent : à moi, mon Dieu, car ces
nègres emportent le cercueil, ils emportent leur
frère vers cette terre qu'il a tellement aimée,
qu'en vérité, il est mort pour elle.

Ils marchent lentement vers la lisière des
bayahondes et le cortège des habitants les suit :
les femmes pleurent et les hommes vont en
silence.

On a creusé la fosse à l'ombre d'un campêcher et un couple de tourterelles s'envole avec
un frémissement d'ailes effarouché et se perd
au-dessus du jardin dans la lumière de midi.

— Descendez-le doucement, dit Laurélien.

Le cercueil glisse et repose au fond du trou.

— Pauvre diable, fait Antoine. Il est mort

dans sa meilleure jeunesse et c'était un bon
nègre, ce Manuel.

Laurélien et Fleurimond saisissent les pelles.
Une pierre roule et sonne contre le cercueil. La
terre coule dans la fosse. Le cercueil commence
à disparaître. On entend des sanglots étouffés
et le choc sourd des mottes de terre durcies par
la sécheresse. Le trou se remplit.

Une femme geint :

— Mon Dieu, nous te demandons la force et
le courage, la consolation et la résignation.

« Manuel n'était pas partisan de la résignation, pense Laurélien. Les signes de la croix,
les génuflexions et les : Bondieu bon, il disait
que ça ne servait à rien, que le nègre était fait
pour la rébellion. Et te voilà mort maintenant,
chef, mort et enterré. Mais tes paroles, nous ne
les oublierons pas et si un jour sur le chemin
de cette dure existence la fatigue nous tente
avec des : à quoi bon ? et des : c'est pas la peine,
nous entendrons ta voix et nous reprendrons
courage. »

Laurélien essuie de sa main la sueur qui lui
couvre la face ; il s'appuie des deux mains sur
le manche de la pelle : la fosse est comblée.

— Eh bien, c'est fini, dit Antoine. Le repos
pour toi, frère Manuel, dans l'éternité des
éternités.

— Dans l'éternité répondent les autres.

Le cercle des habitants se rompt : on retourne
à la case dire au revoir à Délira et Bienaimé, et
puis avec ce grand soleil on a eu soif, on va
prendre un petit quèque chose, ça ne peut faire
que du bien, un dernier verre de clairin, n'est-ce
pas, voisin ?

Mais Laurélien est resté. Il dresse un monticule de terre au-dessus de la fosse. Il l'entoure de grosses pierres. Quand on aura assez d'argent, il construira une tombe en briques avec une niche où allumer les bougies du souvenir et sur une plaque de ciment frais, Antoine écrira, car il sait, d'une écriture appliquée et maladroite :

CI-GIT MANUEL JAN-JOSEF

XIV

C'est le soir même de l'enterrement que Délira
a été trouver Larivoire.

Elle a frappé à sa porte.

— Qui est là ? a demandé Larivoire.

Il était couché.

— C'est moi, moi-même, Délira.

Le temps d'allumer la lampe et Larivoire lui
a ouvert.

— Avec respect, voisine, a-t-il dit. Entrez, s'il
vous plaît.

Délira s'est assise. Elle a arrangé autour d'elle
les plis de sa robe de deuil. Elle est droite et
sévère.

— Tu m'attendais, Larivoire.

— Je t'attendais.

Il y a un silence entre eux.

— Gervilen, dit Larivoire sans la regarder.

— Je sais, répond Délira. Mais personne ne
saura. Je veux dire : Hilarion, les autorités.

— Il n'a pas voulu ?

— Non. Non, qu'il disait et il se débattait
dans l'agonie : faut sauver l'eau, qu'il répétait.
Il tenait ma main.

Larivoire releva la mèche de la lampe.

— Il est venu icitte même le soir du malheur.
Il se tenait debout sous la tonnelle au milieu

de ces habitants. Il parlait ; je le regardais, je l'écoutais. Je me connais en homme. C'était un nègre de bonne qualité.

— Il est mort, dit Délira.

— Tu as ton compte de chagrin, ma commère.

— La douleur est grande, dit Délira.

Larivoire se gratta le menton, tira sur les poils de sa barbe.

— Il t'a confié une mission ?

— Oui, et c'est pour ça que me voici. Va chercher tes gens, Larivoire.

— Il est tard, dit l'autre.

— Mes paroles ont besoin de la nuit. Va chercher tes gens, Larivoire.

Larivoire se leva, il fit quelques pas indécis dans la chambre.

— C'est défunt Manuel qui t'a demandé de leur causer ?

— Oui, c'est lui, mais moi aussi, je veux : j'ai mes raisons.

Larivoire prit son chapeau.

— Faut respecter la volonté des morts, dit-il.

Il entr'ouvrit la porte :

— Tu n'auras pas à m'espérer trop longtemps. Je vais passer chez mon garçon Similien. Il préviendra les uns et moi les autres. Si la lampe baisse, relève la mèche. C'est pas une mauvaise lampe, mais ce « gaz » que vend Florentine ne vaut rien.

Délira resta seule, sa tête s'inclina sur sa poitrine et elle joignit les mains. La lumière vacillait, la chambre se peuplait d'ombres. Elle ferma les yeux. « Je suis usée, cette vieille Délira est usée, elle n'en peut plus, mes amis. »

La fatigue l'entraînait dans un remous lent et

14

irrésistible comme une nausée, vers les limites
de l'évanouissement. Mais la pensée de Manuel
la soutenait. « Faut que je parle à ces habitants.
Après, je me coucherai. Dormir, ah, dormir et
si le jour se levait sans moi, ce serait, pour dire
la vérité vraie, un jour de miséricorde. »

... Tu es restée tout ce temps dans le noir ?
s'écria Larivoire.

La lampe s'était éteinte. Il tâtonna dans l'obscurité et finit par trouver les allumettes.

— Ils sont dehors, oui, dit-il.

— Approche la lampe. Je veux voir leurs
figures.

La chambre s'éclaira : la table, une dame-
jeanne sur le buffet de chêne, 'a natte enroulée
dans un coin, et sur les murs clissés blanchis à
la chaux, les images des saints, un vieil alma-
nach.

— Fais-les entrer, dit Délira.

Les habitants pénétrèrent dans la case avec
une étrange timidité, gauches et embarrassés
dans leurs mouvements, et Nérestan ne savait
où se placer à cause de son grand corps, serrés
et coincés qu'ils étaient les uns contre les autres
dans cete pièce étroite.

Délira se leva dans sa longue robe de deuil.

— Fermez la porte, dit-elle.

Louisimé Jean-Pierre ferma la porte.

Délira les dévisagea lentement : elle semblait
les compter un à un et à mesure que son regard
triste et sévère les atteignait, ils baissaient la
tête.

— Je ne vois pas Gervilen, je dis que je ne
vois pas Gervilen Gervilis. Je demande où est
Gervilis ?

Dans le silence, on entendait distinctement la

lourde respiration des habitants.

— Parce que, j'aurais voulu répéter à Gervilen Gervilis les paroles de mon garçon.

Il m'a dit, voici ce que Manuel mon garçon m'a dit : vous avez offert des sacrifices aux loa, vous avez offert le sang des poules et des cabris pour faire tomber la pluie, tout ça a été inutile. Parce que ce qui compte, c'est le sacrifice de l'homme, le sang du nègre.

— C'est une grande parole, oui, fit Larivoire, hochant la tête avec gravité.

— Il m'a dit encore : « Va trouver Larivoire. Dis-lui la volonté de mon sang qui a coulé : la réconciliation, la réconciliation (il l'a dit deux fois) pour que la vie recommence, pour que le jour se lève sur la rosée... » Et moi je voulais aller prévenir Hilarion, mais il me tenait la main. Non, non, qu'il disait, et le sang noir lui coulait de la bouche : l'eau serait perdue, faut sauver l'eau.

— Délira, fit Larivoire d'une voix enrouée, et il s'essuya les yeux de son poing fermé : il y a soixante-dix et sept années que l'eau n'avait pas coulé de mes yeux, mais je te dis, en vérité, en vérité, ton garçon était un nègre tout de bon, un habitant jusqu'à la racine de l'âme, on ne verra pas son pareil de sitôt.

— Maman, dit Nérestan, d'une voix singulièrement tendre, tu as eu grande peine, maman.

— Oui, mon fi, répondit Délira, et je te remercie pour ton bon sentiment, mais je ne suis pas venue pour vous raconter ma peine, je suis venue pour vous rapporter la dernière volonté de mon garçon. C'est à moi qu'il parlait mais c'est à vous tous qu'il s'adressait : « Chantez mon deuil, qu'il a dit, chantez mon deuil avec un chant de coumbite. »

On chante le deuil, c'est la coutume, avec les cantiques des morts, mais lui, Manuel, a choisi un cantique pour les vivants : le chant du coumbite, le chant de la terre, de l'eau, des plantes, de l'amitié entre habitants, parce qu'il a voulu, je comprends maintenant, que sa mort soit pour vous le recommencement de la vie.

C'est dur les habitants, et rude : l'existence leur a tanné le cœur, mais ça n'est épais et mal équarri qu'en apparence, il faut les connaître, il n'y a pas plus sensible à ce qui fait que l'homme a vraiment le droit de s'appeler un homme: la bonté, la bravoure, la fraternité virile.

Et Larivoire parla pour eux tous quand il s'approcha de Délira, la main tendue et tremblante d'émoiton.

— Prends cette main, Délira, et notre promesse et notre parole d'honneur avec.

Il se retourna vers les habitants :

— Pas vrai, vous autres !

— Oui, répondirent les habitants.

— La paix et la réconciliation ?

Et Nérestan s'avança :

— Maman, je fouillerai moi-même le canal de ton jardin.

— Je planterai pour toi, Délira, dit Josaphat.

— Compte sur moi aussi, dit Louisimé.

— Et moi, je sarclerai la mauvaise herbe quand ça fera besoin, dit Similien.

— Je serai là, dit Gille.

— Nous serons tous là, dirent les autres.

Sur le visage de Délira passa comme un reflet de douceur :

— Merci, mes nègres, pour cette consolation. Mon garçon vous entend dans sa tombe : voici, comme il l'avait voulu, la famille des habitants réunie dans la concorde. Mon rôle a pris fin.

Seulement — et elle reprit sa sévérité — seulement nous sommes complices à partir de cet aujourd'hui : je ne suis pas venue icitte, vous m'entendez ? et ce sont les fièvres qui ont tué Manuel, vous me comprenez bien ? Faites un signe de croix sur votre bouche.

Ils obéirent.

— Témoignez.

Les habitants se frappèernt trois fois la poitrine à l'endroit du cœur et levèrent la main pour le serment.

— Nous témoignons, dirent-ils.

Délira contempla un moment leurs visages. Oui, c'était du bon matériau d'habitants : simples, francs, honnêtes.

— Larivoire, mon compère, dit-elle, laisse encore passer une semaine. Faut faire la part du deuil. Et puis tu viendras avec eux chez Laurélien, après le lever du soleil. Mes gens vous attendront. Et puis, Annaïse, ma belle-fille, vous emmènera tous à la source. Elle connaît l'endroit. Les ramiers battent de l'aile dans le feuillage. Ah bah, voilà que je déparle maintenant. C'est que je suis bien fatiguée, mes amis, cette vieille Délira, comme vous la voyez, elle n'a plus de forces, non, plus un brin. Alors, je vous dis bonne nuit, oui.

Louisimé Jean-Pierre lui ouvrit la porte.

— Attends, fit Larivoire. Similien va te raccompagner.

— Mais non, Larivoire, mais non : c'est pas la peine, malgré la politesse : il y a la lune, il y a les étoiles. Je verrai mon chemin.

Et elle sortit dans la nuit.

LA FIN ET LE COMMENCEMENT

Bienaimé somnole sous le calebassier. Le petit chien est couché devant la cuisine, la tête entre ses pattes. De temps en temps, il entr'ouvre un œil et hoppe une mouche. Délira reprise une robe. Elle tient l'étoffe tout près de ses yeux : sa vue baisse. Le soleil fait sa route, haut dans le ciel, et c'est un jour qui continue comme les autres. Les choses ont repris leur place, elles ont repris leurs cours. Chaque semaine, Délira va vendre son charbon au marché. Laurélien coupe le bois et prépare la meule pour elle. C'est un bon garçon, ce Laurélien. Bienaimé a changé qu'on ne le reconnaîtrait plus. Avant, la moindre contrariaison le faisait bouillir, il était toujours prêt à la colère et à l'irritation, toujours paré pour la riposte : un vrai coq de bataille. Maintenant, un ressort s'est cassé en lui. Il dit : oui, à tout, comme un enfant. Oui et c'est bien. Délira l'a surpris plusieurs fois dans la chambre de Manuel. Sa main caressait la place vide dans le lit et les larmes coulaient dans sa barbe blanche. Chaque matin, il se rend près de la tombe, à la lisière des bayahondes. On l'a abritée sous une petite tonnelle de feuilles de palmier. Il s'accroupit près d'elle et il fume sa pipe, le regard vague,

absent. Il resterait là des heures si Délira ne
venait le chercher pour l'emmener dans l'ombrage du calebassier. Il la suit docilement. Il
dort beaucoup et ça lui arrive à n'importe quel
moment de la journée. Antoine avait raison :
c'est un homme foudroyé.

Le vent charrie du lointain une rafale de voix
et le battement infatigable du tambour. Depuis
plus d'un mois, les habitants travaillent en
coumbite. Ils ont fouillé un canal : un grand
coursier, depuis la source jusqu'à Fonds-Rouge
à travers la plaine étroite et les bayahondes ;
ils l'ont relié à leurs jardins par des rigoles.

La rage a failli étouffer Hilarion. Ah, on peut
dire qu'il s'est fait du mauvais sang et voici que
Florentine' l'accable et l'empoisonne du matin
au soir, comme si c'était de sa faute, avec toutes
sortes de reproches. Est-ce qu'il pouvait prévoir
que le Manuel allait mourir ? Naturellement
qu'il l'aurait arrêté à temps et lui aurait fait
dire, c'est pas les moyens qui manquaient, où
était la source. Le lieutenant l'avait traité
d'imbécile. Et maintenant cette Florentine...
on entendait sa voix de crécelle dans tout Fonds-
Rouge. Quand il en avait assez, Hilarion lui
faisait sentir le poids de la lourde boucle en
cuivre de son ceinturon. Ça la calmait plus ou
moins, la salope.

Peut-être, songeait-il, peut-être que je pourrais demander à Maître Sainville, le magistrat
communal, d'imposer une taxe sur cette eau.
Je ferais les recouvrements et je mettrais ma
part de côté. On verra. (Oui, on verra si les
habitants se laisseront faire.) Ces derniers jours,
ils travaillent à la source même, à la tête de
l'eau, comme ils disent. Ils ont suivi point pour

point les indications de Manuel. Il est mort,
Manuel, mais c'est toujours lui qui guide.

Quelqu'un entre dans la cour de Délira, une
grande négresse, une belle négresse : c'est
Annaïse.

La vieille la regarde arriver et son cœur est
content.

— Bonjour, maman, dit Annaïse.

— Eh, bonjour, ma fille, répond Délira.

— Tu vas affaiblir encore tes yeux, fait
Annaïse. Laisse-moi repriser cette robe pour toi.

— C'est que c'est une occupation, ma fille.
Je couds, je couds et je raccorde l'ancien temps
avec ces jours-ci. Si seulement, Anna, on pouvait repriser la vie, reprendre le fil cassé, ah
Dieu, c'est pas possible.

— Manuel me disait, je l'entends encore,
comme si c'était hier, il me disait : la vie, c'est
un fil qui ne se casse pas, qui ne se perd jamais
et tu sais pourquoi ? Parce que chaque nègre
pendant son existence y fait un nœud : c'est le
travail qu'il a accompli et c'est ça qui rend la
vie vivante dans les siècles des siècles : l'utilité
de l'homme sur cette terre.

— Mon garçon était un nègre qui pensait
profond, dit Délira avec fierté.

Des lambeaux de chant leur parvenaient, ça
faisait quelque chose comme hoho ehhé oh-koen-
hého et le tambour jubilait, il bégayait à force
de joie : Antoine le maniait avec plus d'habileté
que jamais.

— Gille m'a dit qu'ils vont lâcher l'eau dans
le canal aujourd'hui. Si on allait voir, maman ?
C'est un grand événement, oui.

— Comme tu voudras, chère.

Délira se leva. Ses épaules s'étaient un peu

courbées et elle était devenue encore plus sèche.

— Le soleil est chaud, je vais mettre mon chapeau.

Mais déjà Annaïse courait le lui chercher dans la case.

— Tu es bien attentionnée, ma fille, remercia Délira.

Et elle sourit de ce sourire qui avait gardé la grâce de la jeunesse malgré la petite cicatrice de tristesse que la vie avait laissée au coin des lèvres pour marquer son empreinte.

Elles entrèrent dans le bois par ce sentier que Manuel avait parcouru le lendemain de son arrivée. Les bayahondes sentaient la fumée refroidie des meules de charbon. Elles marchèrent en silence jusqu'à déboucher dans le vallon inondé de lumière. Les cactus arborescents se dressaient avec leurs larges feuilles charnues d'un vert terne et poussiéreux.

— Regarde, dit Annaïse, si on n'a pas raison des les appeler « oreilles de bourrique » : ça a l'air revêche, rétif et de mauvaise volonté ces plantes-là.

— Les plantes, c'est commes les chrétiens. Il y en a de deux qualités : les bonnes et les mauvaises. Quand tu vois des oranges, tous ces petits soleils accrochés dans le feuillage, tu sens comme une réjouissance, c'est plaisant et c'est serviable, les oranges. Tandis que, prends une plante à piquants comme celle-là... Mais, il ne faut rien maudire parce que c'est le bon Dieu qui a tout créé.

— Et la calebasse, dit Annaïse, elle ressemble à la tête d'un homme et elle enveloppe une chose blanche comme la cervelle, pourtant c'est un un fruit bête : on ne peut pas le manger.

— Mais tu es maligne, oui, s'écria Délira. Tu
vas faire rire cette vieille Délira malgré elle.

Elles montèrent vers la butte de Fanchon.
Délira allait lentement à cause de son âge.
Annaïse marchait derrière elle. Le sentier était
assez roide ; heureusement qu'il prenait des
tournants.

— Je n'irai pas jusqu'au plateau, dit Délira.
Voici une grosse roche faite toute exprès, on
dirait, comme un banc.

Les deux femmes s'assirent. La plaine était
couchée à leurs pieds dans l'embrasement de
midi. A leur gauche, elles apercevaient les cases
de Fonds-Rouge et la tache rouillée de leurs
jardins entre les entourages. La savane s'étendait comme une esplanade de lumière violente.
Mais à travers la plaine courait la saignée du
canal vers les bayahondes éclaircis à son passage. Et si on avait de bons yeux, on pouvait
voir dans les jardins la ligne des rigoles pré-
parées.

— C'est là qu'ils sont, dit Annaïse, tendant
le bras vers un morne boisé. C'est là qu'ils
travaillent.

Le tambour exultait, ses battements préci-
pités bourdonnaient sur la plaine et les hommes
chantaient :

*Manuel Jean-Joseph, ho nègre vaillant, en-
hého !*

— Tu entends, maman ?

— J'entends, dit Délira.

Bientôt cette plaine aride se couvrirait d'une
haute verdure ; dans les jardins pousseraient les
bananiers, le maïs, les patates, les ignames, les
lauriers roses et les lauriers blancs, et ce serait
grâce à son fils.

Le chant s'arrêta soudain.

— Qu'est-ce qui se passe ? demanda Délira.

— Je ne sais pas, non.

Et puis une énorme clameur jaillit.

Les femmes se levèrent.

Les habitants surgissaient en courant du morne, ils lançaient leurs chapeaux en l'air, ils dansaient, ils s'embrassaient.

— Maman, dit Annaïse d'une voix étrangement faible. Voici l'eau.

Une mince lame d'argent s'avançait dans la plaine et les habitants l'accompagnaient en criant et en chantant.

Antoine marchait à leur tête et il battait son tambour avec orgueil.

— Oh Manuel, Manuel, Manuel, pourquoi es-tu mort ? gémit Délira.

— Non, dit Annaïse et elle souriait à travers ses larmes, non, il n'est pas mort.

Elle prit la main de la vieille et la pressa doucement contre son ventre où remuait la vie nouvelle.

Mexico, le 7 juillet 1944.